小学館文庫

ガラクタ捨てれば自分が見える
——風水整理術入門——

カレン・キングストン
田村明子　訳

小学館文庫

Karen Kingston's UK Office
Karen Kingston Promotions
Suite 401,Langham House,29 Margaret St., London W1N7LB
Tel/fax: 07000 772232（07000-SPACE C）
International tel/fax:+44 7000 772232
e-mail:UKoffice@spaceclearing.com

Karen Kingston's US Office
Karen Kingston Promotions
PO Box 1189, Oceanside,CA 92054,USA
Tel:（760）754 7012
Fax:（760）754 7017
e-mail:USoffice@spaceclearing.com

カレン・キングストンについて

カレン・キングストンは過去二十五年間、西洋社会で風水とスペース・クリアリングでの分野においてパイオニア的活動を行なってきました。現在では風水を活用した建物のエネルギー浄化作業の先駆者として世界中で名を知られています。彼女の著書、「Creating Sacred Space with Feng Shui／風水で聖なるスペースを創る」と本書は、全世界で14ヶ国語以上の言語に翻訳されました。最初の著書はオンラインストアであるアマゾンの風水部門で１９９８年のトップセラーとなり、本書は全世界で80万部の売上をあげました。

カレンの著書は、彼女が四半世紀を費やして研究をしてきた、風水の教えに基づいています。この目に見えないエネルギーは、現在の彼女にとって触知できる世界と同じくらい身近なものとなりました。「スペース・クリアリング」という呼び名は１９８９年に彼女が形にしたもので、彼女が二十五年間かけて開発し、改良してきた儀式です。現在では彼女が個人的に講義を行ない、認定を与えたスペース・クリアリングの専門家たちが世界中に誕生しつつあります。

英国生まれのカレンは、１９９０年からバリ島に移住をしました。年の半分をそこで過ごし、残りの六ヶ月は主に英国、米国、オーストラリアやバリ島などを旅して大勢の聴衆を相手に講演活動を行なっています。彼女の行なう講習会は、独創的な精神世界の洞察と実生活で役立つ技術を、彼女独自のユーモアのセンスを交えてまとめたものです。

（著者のホームページより）

目次

カレン・キングストンについて

第一部「ガラクタ」を理解する

第一章　風……何？――14
風水とは／私の風水へのアプローチ／風水定位盤／スペース・クリアリング／物質的な汚れ／前の住人の残留エネルギー／不要な「ガラクタ」

第二章　「ガラクタ」の抱える問題――23
「ガラクタ」と風水／「ガラクタ」とは、エネルギーの渋滞である

第三章　「ガラクタ」を整理する効力――27
人生を整理する／あなたとあなたの家／やってみましょう！

第四章　「ガラクタ」とは……――32
使わないもの、好きではないもの／整理されていない、乱雑なもの／狭いスペースに無理に押しこまれたもの／未完成のもの、すべて

第五章　「ガラクタ」の与える影響――38

持っていると、疲労感をおぼえ、無気力になる／過去の呪縛を溜めこむこと／体の働きも滞らせる／あなたの体重にも影響を与える／混乱のもとになる／人々の対応にも影響を与える／何事も延期しがちになる／不調和が起きる／自分を恥じるようになる／人生の展開が遅くなる／気分が鬱になる／超過荷物になる／感性が鈍り人生の楽しみを味わうことが出来なくなる／余分な掃除を強いられる／整理整頓が悪くなる／健康に悪く、火事の危険性を招く／好ましくない信号を発する／お金がかかる／大切なことに頭がいかなくなる

第六章　人はなぜ「ガラクタ」を溜めるのか――55

「いざという時のために」溜めこんだ／自己存在価値という執着心／社会的地位という見得／安心感／縄張り意識というエゴ／遺伝する「ガラクタ」を溜める習慣／多いほど良い、という信仰／「ケチ精神」／感情を抑えるためにものを溜めこむ／強迫観念

第七章　ものを処分する――68

「ステレオを取りに来た」／単に立ち寄っただけ／恐怖心をなくする

第二部 「ガラクタ」を見分ける

第八章 「ガラクタ」と風水定位盤――74
「ガラクタ」の定位盤チェック／定位盤を使う／定位盤の中の定位盤／「ガラクタ」と定位盤／定位盤にある九つのセクション／繁栄、財産、豊穣、幸運／名声、社会的信用、知名度／人間関係、恋愛、結婚／年長者、家族、コミュニティ／健康、結合／創造力、子孫、計画／知識、叡智、向上心／職業、人生、行程／助けてくれる友人、慈愛、旅行／定位盤テスト

第九章 あなたの家の「ガラクタ」ゾーン――86
地下室、屋根裏、物置部屋／地下室など、家の下に位置する倉庫／屋根裏／いらないものを放置する部屋／「ガラクタ」を入れる引き出し／玄関、入り口周辺、通り道／玄関／裏口／ドアの裏／通り道／リビング周辺／ラウンジ、キッチン、リビングルーム／キッチン／寝室／寝室にはそぐわないもの／ベッドの下／鏡台の上／タンスの上／タンスの中身／服とエネルギーのバイブレーション／バスルーム／車庫、駐車場、そして車／車／持ち運びの出来る「ガラクタ」／海外の事情

第十章　収集癖――104
なぜ人々はものを収集するのか／ブタを作った男／あひるおばさん／収集癖に溺れないように
第十一章　紙の「ガラクタ」――109
本／雑誌、新聞、切り取った記事類／センチメンタルな思い出の品／写真／机をきれいにする／ディスクを整理する／書類を溜めないいくつかの秘訣
第十二章　その他の「ガラクタ」――120
もう使わないもの／気に入らなかった貰いもの／好きではないもの／エネルギーレベルを落とす修理品／ダブル・トラブル／相続した「ガラクタ」／オーディオ、ビデオ関係の「ガラクタ」／謎の物体／箱、箱……
第十三章　大物たち――131
第十四章　他の人たちの「ガラクタ」――133
パートナーが溜めこんだ「ガラクタ」／教育／手本を見せる／子供の「ガラクタ」／ティーンエイジャーと「ガラクタ」／友人、親戚の「ガラクタ」

第十五章　「ガラクタ」と風水の象徴学――139
ネガティブなつながり／古くなった関係／波動／あなたの家を象徴的に改造する

第三部　「ガラクタ」の処分の仕方

第十六章　あなたの「ガラクタ」の処分の仕方――148
始めるための準備／早く済ますか、ゆっくりやるか／クリアリングの最高のタイミングとは／いつ始めても、かまわないのです／「ガラクタ」退治に役立つスペース・クリアリング／想いや感情を換える／リストを作る／やる気を起こさせる／最後の準備／大規模な「ガラクタ」クリアリングを始めよう／小さなところから始める／大掛かりな場所／ものを分別する／「ガラクタ」審査／処分するのが無難／間違った選択などない／ジレンマ箱／整理整頓の秘訣／「ガラクタ」を家から出す／自分に良いことを、してあげよう

第十七章　「ガラクタ」を溜めない生活――168
すべてのものが、収まるべきところに／整理整頓をする／ファイリング・キャビネット

を買って利用する／保管する場所／溜まる前に、「ガラクタ」を阻止する
第十八章　体をきれいにする――173
腸をきれいにしなければならない理由／食生活とエクササイズ／便秘と下痢／理想的な排便とは／きれいな腸の利点／漢方による腸のクレンジング／寄生虫の排除／断食／腎臓／肺／リンパ腺／肌
第十九章　心をきれいにする――190
心配するのをやめる／批判したり、決めつけたりしない／ゴシップをやめる／嘆いたり、愚痴ったりしない／心の中で会話をしないこと／先延ばしにしない／コミュニケーションをクリアにする／手紙はそのつどきちんと書く／やりたいことを、優先させる／安眠のために、気持ちをきれいにする／常に自分を現在形にしておく
第二十章　感情をきれいにする――199
怒り／不平不満／不要な友人関係を整理する／古い人間関係から脱出する／心の鎧を取り除く
第二十一章　魂をきれいにする――206

今は特別な時代／あなた自身に戻るための「コーリング」

付記　基礎的なスペース・クリアリング　21のステップ――209

訳者あとがき――214

第一部 「ガラクタ」を理解する

次に訪れる街への切符をポケットに、それ以外はほとんど何も持たずに旅をする女性に出会ったことがあります。彼女には手相を読むという、特殊な能力がありました。ですからどこに行っても、寝る場所と食べるものには事欠くことがありません。これぞと見定めた地元のレストランかホテルに行って支配人を呼び、食事と泊まる場所、そしてわずかな報酬と引き換えにお客の手相を見ようと申し出るのです。私が出会った時、彼女はこのような生活を始めて三年目で、すでに何十カ国も旅をして素晴らしい人生を送っていました。

風水にも、同じような世界共通の魅力があります。住んでいる家が、良い意味でも悪い意味でも運勢に大きな影響を与えると気がついた人々は、必ずと言って良いほどもっと詳しく習いたいと願うのです。

風水とは

近年欧米でも風水の人気は驚くほど急上昇しました。私が建物の中を流れるエネルギーの仕組みに夢中になったのは70年代の終わりで、93年から風水を人々に教えるようになり

ました。職業を聞かれて答えると、大概の人は不思議そうな顔をして、
「風……何ですって？」
と聞き返してきたものです。でも近頃では人々は驚かずに頷《うなず》くようになり、会話はそのままスムーズに続きます。誰もが一度は風水のことを耳にしたことがあるようなのです。

風水とは、環境の中にある自然のエネルギーをバランスよく調和させ、日々の生活に良い影響をもたらすためのものです。この自然のエネルギーは古代の人々にはよく知られ、理解をされていましたが、その知識を今日でも継続している文化がいくつかあります。

たとえば私が年間の半分住んでいるバリ島では、未だに目に見える物質的な世界と、見えない霊的な世界のエネルギーのバランスをうまくとった暮らしが存在しています。どこの家でも毎日神棚には供え物が捧げられ、調和が崩れないように島の中にある二万もの神殿では美しく力強い儀式が行なわれているのです。

私にとっては、これが最高の風水です。何かの目的のために個々の建物に工夫がほどこされるのではなく、島全体に住む三百万人の人々が土地の神聖さに共鳴して、風水を人生そのものとして受け入れることが——。

私の風水へのアプローチ

私の風水のやり方は、他の風水師と違うことが多いようです。というのは、私はそれぞれの空間のエネルギーに直接関わるからです。この二十年間のあいだに私にはエネルギーそのものを見て、聞いて、嗅ぎわけ、味わう能力が身につきました。ですから相談を受けたときに最初にやることは、建物の中を歩き回って手でエネルギーを読みとることです。

過去にそこで起きた出来事は、微量の電磁気で壁や家具に記録されます。それらを読みとって解釈をすることで、その場所で今までどのようなことが起きたのか、大まかに知ることが出来るのです。トラウマ（精神的外傷）的、悲劇的な出来事はもっとも深く記録され、現在の住人に強い影響を与えます。またエネルギーの流れが滞《とどこお》っている場所を見つけて、改善する方法を指導することもあります。

不要なものが溜《た》まったところに入った時のエネルギー・フィールドは、間違いようがありません。この目に見えない蜘蛛《くも》の巣に手を這《は》わせると、エネルギーの流れが滞った、不快で粘っこい、不潔な印象を感じるのです。こうして私は、不要なものは人々の生活に悪影響を与えることに気がついたのでした。誰かの家にいらないものが積み重なっていると、たとえそれが見えない場所に隠してあっても、独特の不快な臭いが漂ってくるのでわかります。

実を言うと意識をしてチューニングをすれば、近くに立っている人のオーラ（体から発しているエネルギー・フィールド）から臭いを嗅ぎ取ることも出来ます。このような臭いはオーラにしみ込むのです。でも皆さんが私に会うことがあっても、心配することはありません。世の中は不要なものだらけですから、このようなチューニング・モードに入ることはめったにありません！

ありがたいことに、この不快なエネルギーと臭いは、それらのガラクタを処分したとたんにきれいさっぱりなくなるのです。

風水定位盤

風水のもっとも興味深い部分でもあり、この本でも何度も出てくるのが「風水定位盤」です（第八章参照）。これによって、あなたのいる建物のどの部分がどのように人生に影響を与えているのか知ることが出来るのです。

たとえば、あなたの家の中に繁栄をつかさどる場所があります。風水に興味を持って講習を受け、エキサイトしてそれを手早く実行に移そうとする人達は大勢いますが、そのほとんどが、まず家の中から不要なものを整理しなければならないことに気がついていません。繁栄をつかさどる部屋の角に、鏡を置けば良いという話を耳にしたことはあるでしょう。でもその角にガラクタが積まれていたとしたら、どうでしょう？

残念ですがそこに鏡を置くことで、運を向上させるどころか、経済的な問題を倍に増やしているのです。

この本は、風水の「不要なガラクタを整理する」という部分に焦点をあてています。風水の効力を得るために、これを避けて通ることは出来ません。本書はこのテーマを掘り下げた初めての著書であり、風水の初心者にとっては理想的な入門書に、中級者にとってはかけがえのない知識となるでしょう。

本書の中では主にあなたの住居を対象に書きましたが、もちろん職場でも、それ以外であなたが滞在する建物にも当てはめることは可能です。

スペース・クリアリング

スペース・クリアリングとは風水の知識を身に付けながら私が考え出した言葉で、今では私の名前もこの分野でもっとも良く知られるようになりました。これは建物の中のエネルギーを浄化してクリアにするという手法で、私の第一冊目の著書もこれについて書いています。

順調な人生を歩むためには、自宅と職場の両方に良いエネルギーの流れを作ることが大切です。風水はエネルギーの流れを良くする方法について色々教えてくれますが、スペース・クリアリングは中でももっとも効果的な方法なのです。シンプルながらパワフルな21

の段階（巻末に付記しました）を踏んでいくことで、建物に滞ってあなたの人生をも滞らせていたエネルギーの流れを改善するのです。効果はとても強力で、大勢の人々がスペースを物質的にもエネルギー的にも清涼に保つために、これを定期的に実行しています。この恩恵にあずかる必要もないほどうまく設計されている建物はほとんどなく、スペース・クリアリングと組み合わせてこそ風水の効果は倍増されるのです。

スペース・クリアリングの対象となる、エネルギーの滞りには主に三つの理由があります。

＊　物質的な汚れ
＊　前の住人の残留エネルギー
＊　不要な「ガラクタ」

物質的な汚れ

これらはあらゆる種類の汚れ、ゴミ、汚物、油染み、カス、澱《おり》など一般的な不浄物のことです。古い格言で「きれい好きは信心深さに準じる」とあるように、低級なエネルギーは常にゴミの周辺に溜まってくるのです。スペース・クリアリングの実行にあたって、大掃除を行なうのは大切なことです。

前の住人の残留エネルギー

建物の中で起きた出来事は、すべて壁や床、家具や室内の物質に記録されています。これらは汚れと同じように何重にも重なっていきます。私たちの目には見えませんが、その影響は決して小さくありません。たとえばあなたの前の住人が、そこの家で幸せな結婚生活を送っていたとすると、次に引っ越したあなたも、同じように快適な結婚生活を送る可能性が高いのです。ですがその一方、仮りに前の住人が不幸だったり、離婚、破産、肥満など、そのほか多くの理由で苦しんでいたりしたとしましょう。これらのエネルギーは建物に蓄積して、次に引っ越してきた住人も同じ運命に見舞われることが往々にしてあります。物事を停滞させる、この残留波動は、ぜひとも浄化しなければなりません。

不要な「ガラクタ」

あらゆる種類の「ガラクタ」は、空間のエネルギーがスムーズに流れる妨げとなります。そして住人の人生を停滞させたり、混乱させたりするのです。

滞ったエネルギーを浄化させるスペース・クリアリングの儀式は数時間で終わりますが、大掃除やいらないものを片付けるのは人によってはもっと時間が必要です。実際のところ、私の最初の著書を読んだ読者が「ガラクタ」の処理の章にたどりつくと、続きを読む体勢が整うまで半年間もかかったという話はよく聞きます。次にあげるのが、その典型的な手紙です。

ようやく不要なものを片付けて、スペース・クリアリングの準備が出来ました。過去半年間のあいだに、戸棚の中を整理しただけではなく、自分の人生を整理したような気持ちになりました。すでに私はここ何年ものあいだでもっとも気分が良く、健康な状態になっています。

＊

あなたの本の「ガラクタ」に関する章を読み、私は現在十四個目のゴミ袋を使用中。まだまだ続きそうです。何年も片付けろとうるさく言い続けていた夫は、驚いて言葉もありません。

＊

ゴミ処理トラック一台で間に合うと思っていたのですが、現在三台目に到達しています。

＊

一体いつの間に、私の生活はこんな状態になっていたのでしょう?

あなたの本を読んで物置小屋を整理する気になり、ガラクタ市を開いて五〇〇ドル稼ぎました。それに元気づけられて、車庫もきれいにしようと思い立ち、計一〇〇〇ドル以上の収入を得ました。そのお金は、久しぶりに行く旅行の費用にあてました。旅先で書いているこの葉書は、ほんのお礼の代わりです。

次の章ではもう少し詳しく、あなたの愛すべき「ガラクタ」は人生の助けになるどころか、障害になっているという事実について説明しましょう。

第二章　「ガラクタ」の抱える問題

風水、スペース・クリアリング、「ガラクタ」のクリアリングのコンサルタント作業中、色々な人の家を訪ねました。このような機会でもなければ、決して見せてはもらえないであろうというような場所までのぞかせてもらいました。この風変わりな（そして時には不思議な）特権のおかげで、何年かたつうちに私は不要なものがどのような問題を引き起こすかを知るに至ったのです。

「ガラクタ」と風水

まず風水にとって、「ガラクタ」を片付けること（クリアリング）がどれほど大切な基本であるかを認識する必要があります。今まで出版されたこの手の本では、それについてさっと触れるかまったく触れないかのどちらかでした。著者は、読者がすでにそのような問題は自分で解決しただろうと思っていたのかもしれません。ですが現実には、解決していない人がほとんどなのです。

私にとって、風水と「ガラクタ」の整理は別々なプロセスではありません。これまでの経験によって、不要なもののクリアリングはもっとも効果的な風水の方法の一つであり、これを終わらせるまでは風水の効力は最小限に留《とど》まると実感しているのです。もしあなたがこれまでこのことを知らずに何年も風水を実行してきたのなら、不要なものを片付けた時にエネルギーがどれほど良い方に変化をするか驚き、喜ぶことでしょう。もしあなたが風水の初心者ならば、この手法のもっとも大切でもっとも基本的なステップがすぐにも実行できることに、喜びを感じるに違いありません。

「ガラクタ」とは、エネルギーの渋滞である

「ガラクタ／CLUTTER」とは、古い英語の「CLOTTER」から来ていて、凝固した、要するにこれ以上詰まることは出来ないというほど詰まった状態を言います。「ガラクタ」はエネルギーが滞ります。ですからエネルギーが滞った時に溜まり始め、同時に、いらないものが集まるとエネルギーが滞ります。ですから「ガラクタ」とはあなたの人生の状態を示す症状の一つですが、そのうちそれ自身がさらに濁ったエネルギーを呼び集めるため、いずれ問題そのものになっていきます。

あなたも見たことがあるでしょう。道路を歩いていると、空になったタバコの箱を無神経に歩道に投げ捨てる人がいます。次の日に同じ場所に行ってみると、その空箱のまわりには違うゴミも集まっています。そしていつの間にか、その場所はちょっとしたゴミ溜め状態になってしまうのです。「ガラクタ」は、あなたの家に同じ現象を起こします。最初は

ほんの少しのことから始まり、どんどん溜まっていくにつれてエネルギーがそこに滞り、あなたの人生に影響を及ぼすのです。

もし人生に新たな進展があれば、本能的に家の中のいらないものを整理して心機一転をはかろうとするでしょう。それはごく自然なことだと感じるに違いありません。

「ガラクタ」に対する一つの対処は、自分を成長させる努力をしながらもうこれ以上不要なものに囲まれているのは我慢がならないという気分になるまで待つことです。

世の中には自己啓発の書や、自分を成長させるための講習会などが山ほどあります（私もそのような努力をすることをお薦《すす》めします！）。

でもこの方法で、家の中を整理しようという気になるまで待つのは、少々時間がかかります。

私がこの本の中でお薦めしているのは、新しい方法——身のまわりの整理整頓をすることによって、人生の整理整頓を行なうということ。

その結果、あなたの人生に新たなエネルギーが入りこんでくるという効果は、絶大なものがあるのです。

これはあなた自身の成長のために、とても現実的で実際的なことなのです。

でも「ガラクタ」という滞ったエネルギーは、ネバネバしているのでなかなかあなたの元を去ろうとしません。あなたが腰をあげてこれらを整理するには、かなりの決意が必要となるのです。次の章では、そのことについて詳しく語りましょう。

第三章「ガラクタ」を整理する効力

あなたの人生はあらゆる面で、住んでいる場所に反映しています。ですから「ガラクタ」を整理することは、あなたの存在そのものを全て変貌させるのです。

人生を整理する

1980年代の当時、私はロンドンでもっとも成功したプロのREBIRTHER／リバーサーの一人でした（リバーシングとは、呼吸法で体の中に閉じ込められたエネルギーを放出する方法です）。いつも他人にアドバイスを与える立場で、ある日ことさら人生に行き詰まったクライアントに対して余分な「宿題」として、家の中を整理することを薦《すす》めたのでした。そして彼らは持ち物の整理をするうちに、人生も整理する方向へと進んでいったのです。かなり重症の場合は、その日のセッションの終わりに、次の週は私の家ではなくクライアントの家でリバーシングを行ないますと宣言をしました。私の家の居心地と、自分たちの家の居心地がどれほど違うかに気づいた彼らは、おそらく恥じ入って行動をおこしたのだと思います。

特に心に残っている、長い付き合いだったクライアントは、ヘロイン中毒から回復中の若い女性でした。何度か彼女が後退した後、私はもっと確固たる方法を使わなければならないことに気がついたのです。私は、彼女の家でやるのでなければもうこれ以上セッションは行なわないと宣言し、彼女は自宅をリバーシング・セッションが出来るような環境にすることで、中毒から回復する意志があることを私に証明してみせたのです。

これは彼女にとって、大変なことでした。このところすっかり自己の誇りを失っていたので、まるでゴミ溜めのようなところで暮らしていたのです。でも強い意志を持って掃除を行ない、数週間後には私を自分のアパートへ招待してくれました。彼女がどれほど努力をしたかは一目瞭然で、またこの数週間の彼女自身の変わりようも驚くべきものでした。それから数回のセラピーで、彼女は目覚《めざま》しい進歩をとげました。

その数年後、私はある場所で偶然彼女と行き会いましたが、最初は本人だと気がつきませんでした。彼女は生きる喜びに溢《あふ》れた美しい女性に変身していて、前から夢見ていた職業について成功していたのです。彼女はあのセッションが転換のきっかけだったと言い、あの日以来ヘロインに触ったことも、過去を振り返ったこともないと私に語りました。「ガラクタ」を一掃することで、彼女は人生も一掃したのです。

あなたとあなたの家

「ガラクタ」のクリアリングがこれほど効果的なのは、あなたが自分の外側を整理していくと、同時に内側も整理されていくからなのです。あなたのまわり全て、特に住んでいる家と環境はあなた自身の内面を反映しています。ですから家を整理することで、あなたの人生にはこれまでと違った可能性がわいて来るのです。調和のとれたエネルギーの流れを邪魔していた障害物を取り除くことで、あなたの人生には新たなチャンスが巡《めぐ》ってくる余裕が出来てくるのです。

やってみましょう!

私の講習を受けたある女性はとても張り切って、家に帰るとすぐに近所のチャリティ・ストアに電話をして「トラックを一台よこしてちょうだい!」と告げました。彼女は昔から持っていたステレオセットを捨て、積もりに積もっていた「ガラクタ」を一掃し、タンスの中から五点を除く全ての洋服を寄付してしまったのです。このプロセスによって、彼女は滞っていたエネルギーを解放し、新しい物が入ってくるスペースを作り上げました。

それから一週間後、彼女のおかあさんから八千ドルの小切手が届きました。そこで彼女は新しいステレオセット、新しい上等なワードローブひとそろい、それ以外で前から欲しかったもの全てを買ったのです。
彼女によるとこの小切手は全く予想外のもので、その前におかあさんからお金をもらったのは十年前のことだそうです! 全ての人に同じことをお薦めはしませんが、この方法は彼女にはとても効果がありました。
私のもとに届いた手紙にこんなものもありました。

あなたのラジオ番組を今朝聞き、どうしても手紙を書かねばという気になりました。私は明日引っ越しをしますが、夫と子供たち、お気に入りの鉢植えとペットたちのほかに持っていくのはあなたの本と、キャンドル、お香とベルだけです。

*

三ヶ月前に私があなたの本を手にして家の中を一掃して以来というもの、私の身には素晴らしいことがたくさん起こりました。日記をつけていますが、二週間ほどのあいだに百ほどの出来事が書いてあります。長い話を短く端折《はしょ》ってお伝えしますと、あれ以来まずかねてからの夢だった西海岸のクララ郡に引っ越しをし、家を建て、それを売り、大西洋側にある美しい土地の手付金を支払ったところです。数々の障害がどんどん取り除かれて、問題が起きることもありませんでした。

もう一通こんな手紙も来ました。

あなたの本を読みました……そして「ガラクタ」のおおよそを片付けて、本格的にスペース・クリアリングを行ないたいと思っています。二週間前に片付け始めてから、三回当たりました。
二回は宝くじ、一回は抽選です。これまで何も当たったためしがなかったので、これが偶然のはずはありません！

このような手紙が毎日私の郵便箱に届き、そのために本を書こうと思い立ったのです。

第四章　「ガラクタ」とは……

オックスフォード英語辞典によると、「ガラクタ」(CLUTTER)とは「整理されていないまま山積みとなったもの」だそうです。もちろんそれらも「ガラクタ」のうちですが、これは物質的な部分の説明にすぎません。

私が言う意味の「ガラクタ」とは、四つのカテゴリーに分類されます。

＊あなたが使わないもの、好きではないもの
＊整理されていない、乱雑なもの
＊狭いスペースに無理に押しこまれたもの
＊未完成のもの、全て

この本では、あなたのクリアリングがどこに焦点をおいて行なうべきか確認をするために、これらのカテゴリーをひとつひとつ吟味していきたいと思います。

使わないもの、好きではないもの

あなたが好きなもの、使うもの、愛用しているものはそのまわりに強い快適なエネルギ

ーを振りまいています。あなたが目的意識をはっきり持ち、これらのエネルギーを放出するものに囲まれていたら、人生は自然に良い方向へと展開していくでしょう。それとは逆に、無視されてきたもの、忘れ去られているもの、いらないもの、好きではないもの、使わないものは家の中のエネルギーを滞らせて、あなたの人生そのものもあまり進展がなくなっていくのです。

あなたとあなたの所有物は、エネルギーの細い糸で結ばれています。家の中が好きなもの、よく利用されるもので満ちていると、あなたの人生に力強いサポートと養分を与えてくれるのです。その一方、「ガラクタ」はあなたのエネルギー・レベルを落とし、長く溜めこむほど影響は大きくなっていきます。人生にあまり意味のないもの、重要ではないものを処分することによって、あなたは体も、心も、そして魂も軽くなることでしょう。

整理されていない、乱雑なもの

このカテゴリーは世界中にいる、整理整頓が苦手な人のためのものです。たとえあなたが本当に好きなもの、使うものだけ身のまわりに置いていても、それが部屋中に無秩序に散らばっていて必要な時に見つからないという状態であれば、それはやはり「ガラクタ」になってしまいます。あなたはおそらく整理が苦手な人の常として、散らかしている中にもそれなりの秩序があり、重要なことを忘れないように目につくところに置いてあるのだと言うでしょう。でも誰かがあなたをテストして、何かのある場所を聞いてきたら、大体の方向を示すのが精一杯で正確な位置を当てるのは難しいのではないでしょうか。ものがどこにしまってあるのか把握している方が、人生はスムーズに進みます。例えばあなたのベッドについて考えてみましょう。ベッドとあなたのエネルギーのつながりは明らかです。あなたが遊牧民でもない限り、あなたはベッドの場所は常に把握していて精神的に常にそれとつながっています。では家の鍵について考えてみましょう。あなたはそれがどこにあるのかすぐにわかりますか？　それとも頭の中であれこれ考えてみなければわかりませんか？

　どこにあるのでしょう？

　あなたとものがうまくつながっていないと、その関係はまるでこんがらかったスパゲティのようになります。ものの場所が把握できていれば心は平和で明晰《めいせき》に保たれますが、わからないと人生にストレスと混乱をもたらすのです。

　このカテゴリーでいう「ガラクタ」とは、置き場所の定まらないものか、あるいはあるべき場所に置かれていないために混乱状態なっているもののことです。それらは必要な時には見つからず、偶然行きあった時に姿を現します。それはある日届いて部屋の隅に置き去りにされた手紙だったり、どこからか現われて整理が出来ないうちに山積みとなった書類だったりします。また衝動買いの結果でもあります。家に持ち帰ってきて「とりあえずここに置いておこう」と思い、そのまま放置。時には何ヶ月も、何年も、何十年もしっくりこない場所に置き去りにされ、あなたはそれを見るたびに心のどこかで何とかしなきゃ、と思うのです。

さて、私は何も潔癖症になれと言っているわけではありません。片付き過ぎている、まるで味もそっけもない家はエネルギーが貧弱で、ゴミ溜めのような家と同じくらい問題があります。ですがあなたの家はあなたの内面をそのまま現したものですから、部屋がゴチャゴチャしているのは、あなたの精神もゴチャゴチャしているということ。外側をきれいに整理していくことで、あなたの内面もきちんと整理されていくのです。

狭いスペースに無理に押しこまれたもの

時には単にスペースの問題だったりします。あなたの人生や家族は膨張しているのに、住んでいる家のサイズがそのままだったり、あるいは最初から手狭《てぜま》すぎる家だったりなど。整理棚を工夫して使うことは出来ますが、住むスペースにものを押しこめば押しこむほどエネルギーの流れは悪くなり、何かを達成することは難しくなります。このスペースにしてこの荷物という状態になると、あなたの家は息苦しくなり、呼吸は浅くなっていきます（最後に深呼吸をしたのは、いつのことですか？）。そして結果的に、人生で成し遂げようとすることにも限界を感じてくるのです。

これを解決する方法はもっと広い家に移るか、あるいはものを減らすこと。どちらにしても、驚くほど気分は改善するでしょう。

未完成のもの、すべて

このカテゴリーの「ガラクタ」は他と比べてあまり目立たないので無視しがちなものですが、その影響力といったら巨大なものです。未完成なものは全て、あなたの肉体、精神、心、魂の「ガラクタ」となって積もるのです。

家の中で半端にしておいたものは、人生の中で半端にしていたものであり、それによってあなたはどんどんエネルギーを吸い取られていきます。

壊《こわ》れた引出し、付け替えの必要な部品、水漏れする蛇口など小さな修理、そして家の模様替え、セントラルヒーティングの付け替え、ジャングル化した庭の手入れなどの大きな仕事などもあるでしょう。

対象が大きければ大きいほど、あなたの人生に与える影響も大きいのです。

取れたボタン、かけなければならない電話、清算しなければならない人間関係など、これらのほぐれを放っておいては、人生の前進の妨げになるでしょう。無視をすることも出来ますが、それには膨大なエネルギーを消費します。

未完成の仕事を片付けるとどれほど新たにバイタリティが湧き出てくるか、きっと驚くことと思います。

次の章では、これらの「ガラクタ」がこれまで想像もしたことのない状態でどのように影響を与えているのかを説明しましょう。

第五章 「ガラクタ」の与える影響

「ガラクタ」がどれほどあなたに影響を与えるのか、わかっている人はほとんどいません。

あなたは家中の所持品を財産だと好ましく思っているか、あるいはきちんと整理さえすればひと財産になるだろうと考えているかもしれません。無くなればどれほどすっきりした気分になるかは、片付けてみないことにはわからないのです。

いらないものが与える影響は、あなたがどのようなタイプの人間で、「ガラクタ」がどのくらいの量があり、家のどこに保管して、どのくらいの期間所持しているかで変わってきます。これからあげるのは、その影響のいくつかです。

持っていると、疲労感をおぼえ、無気力になる

「ガラクタ」に囲まれている人は、片付けるエネルギーはとてもないと言います。彼らは常に疲労感に悩まされているのです。実際のところ、「ガラクタ」のまわりで滞ったエネルギーは人に疲労感を与え、無気力にするという影響があります。

これらのものを片付けることにより、あなたは家にこもっていたエネルギーを解放させ、

体に新しいバイタリティを注ぎこみます。以下は私のもとに届いた人々の声です。

夜遅くまであなたの本を読んでいて、とても「変な」気分に陥り、眠れなくなりました。

そこで起き上がって明け方の四時まで家の中を片付けたのです！　次の日は仕事でしたが、疲れは全く感じませんでした。

＊

私は以前「カウチ・ポテト」そのものでした。仕事から帰ってくると、毎晩テレビの前から動かなかったのです。大々的に片付けを行った後、ほとんどテレビは見なくなり、結局処分してしまいました。他に興味のあることがたくさん出来て、テレビを見ている時間などなくなったのです。

＊

最初は自分の溜めこんだ「ガラクタ」の量に圧倒されそうでしたが、片付けなければならないことはわかっていました。引出しをひとつきれいにしていくごとに気分が良くなっていき、次に進むエネルギーがどこからともなく湧いてくることに驚きました。

過去の呪縛を溜めこむこと

保管場所が「ガラクタ」でいっぱいなのは、人生に新しいものが入りこむ隙間がないということです。あなたの心は過去のことに捉われがちで、昔からの悩みを何度も蒸《む》し返します。未来よりも過去のことばかり考えて、明日の向上のために人生の責任を取る覚悟をする代わりに、現状を過去の出来事のせいにしがちになります。いらないものを一掃すると、前に進むために抱える問題と正面から向き合う気力が生まれてくるのです。明るい未来のためには、過去を清算しなくてはならないのです。

体の働きも滞《とどこお》らせる

いらないものをたくさん溜めこむと、家にエネルギーが滞るだけではなく、体の働きも滞ります。「ガラクタ」に捉われた人は運動不足に陥りやすく、便秘がちで、顔色もさえずに目に光りがありません。家の中が整理整頓されている人は一般的に活動的で、血色も良く、目がきらきらしているのです。どちらを選ぶかは、あなたしだいです。

あなたの体重にも影響を与える

家に「ガラクタ」を溜めこむ人は往々にして体型も肥満気味であるというのは、私がこれまでの経験で気づいた興味深い事実です。これはおそらく「ガラクタ」も、体の脂肪も自己防衛の手段であるからなのでしょう。体に脂肪の層を溜め、「ガラクタ」を溜めこむことによって、人は人生の試練が与える精神的なショックを和《やわ》らげようとしているのです。不用な物で身のまわりを固めることにより、どんな出来事からもあまり決定的なダメージを受けていないという幻想を抱いているのでしょう。でもそれはただの幻想でしかありません。

米国で人気ナンバーワンのテレビトークショーの司会者、オプラ・ウィンフリーはこのようなことを言っています。

> 過去十三年間体重で悩んだ末に気がついたのは、ためらいの原因を心の中から取り除かない限り、肉体をコントロールすることは出来ないということでした。人生が向上していかないのは、私たちが本来こうであるべき自分になるのに、ためらいを感じる原因があるからなのです。

体重オーバーの人達が余分なものを落とす決心をするためには、心の底にある恐れを克服しなければならないというのは私も全く同感です。いらないものを整理した後でどれほど解放感を味わったか、そして同時になぜか体の脂肪も落ちていったという報告の手紙をよく受け取ります。さらに多くの人々が、体の減量よりも家の「ガラクタ」の減量の方がずっと簡単で、身のまわりをきちんとすると、なぜか体の管理もきちんと出来るようになると告白しています。ある女性は「家の中のいらないものを処理すると、体にいらないものを与えつづけるのは間違っていると感じるようになりました」と表現していました。

混乱のもとになる

まわりが「ガラクタ」で囲まれていると、あなたの人生がどのような状態なのか明確に把握することが難しくなります。身辺をきれいにすると風邪をひくことも少なくなり、判断力もより明晰になります。いらないものを整理するのは、新たな発見と自分が理想とする人生を始めるために、私が知っているもっとも効果的な方法なのです。

人々の対応にも影響を与える

世間の人は、あなたが自分を扱うようにあなたを扱います。あなたが自分の価値を認めて、自分を大切にしていれば、人もあなたを大切にしてくれるでしょう。もしあなたが自分をほったらかして身のまわりをゴミだらけにしていると、まわりにはあなたを不当に扱う人々が集まってきます。潜在的に、それが自分にふさわしいのだと思ってしまっているのです。

「ガラクタ」を溜めこんでいるだけではなく整理整頓が悪いと、友人たちはたとえあなたが好きでも尊敬の念を抱いてはくれません。整理が悪いためにいつも物事を延期したり、約束を守らなかったりしていたら、なおさらです。家の中を整理すると、自然に人間関係も向上していくのです。

何事も延期しがちになる

「ガラクタ」をたくさん溜めこむと、あなたは全てのことを明日に延期するようになっていきます。「ガラクタ」の鬱積《うっせき》したエネルギーが、あなたを怠《なま》け者にするのです。クリアリングを行ったあとのあなたは、自分でも驚くほど（そして他人も驚く！）精力的になり、長年延期してきたことに取りかかりたくなるでしょう。人々は突然草花の植え替えを行なったり、社会人向けの講習を受けたり、旅行に出かけたりし始めるのです。クリアリングの効力について私が受け取る手紙には、驚くようなことがたくさん書いてあります。

夫が五年前に永眠し、私は彼の所持品を片付けるのをずっと延期してきました。あなたの著書を読んで、私はようやく彼の衣服を箱に詰めて近所のチャリティ・ショップに持ちこむ勇気を得ました。それは私の人生に新しい風をもたらしたのです。私の年齢にしては驚くべきことに（私は七十一歳です）、私は大学でコンピューターの勉強をし始め、もうすぐ世界初のサイバー・おばあちゃんになるところです！

＊

屋根裏の整理をするうちに、海外に移住した古い友人の手紙を見つけ、長い間音信不通にしていたことを後悔して涙が出ました。私は屋根裏をピカピカにした後、飛行機に乗って友人に会いに出かけました。再会の素晴らしさは、言葉に表すことが出来ません。今ではその国に私も引っ越そうかと真剣に考えているところです。

「ガラクタ」のクリアリングは体の中に浸透するようです。私は家中の戸棚の整理をしただけでは飽き足らず、今では毎朝日の出と共に起床して庭の手入れをしています。いったいどこまでやるつもりなのでしょう？

不調和が起きる

「ガラクタ」は家族間、ルームメイト、同僚の間で論争が起きる最大の原因です。あなたが膝まで「ガラクタ」に埋まって生活をしていると、周囲の人々の生活があなたの迷惑になることはありませんが、あなたは確実に周囲に迷惑をかけています。

あなたが超自然現象を信じる人ならば、全ての人間関係にはそれぞれの理由があることがおわかりでしょう。でも「ガラクタ」が理由というのは、あまりにも低次元のことです。不要なものを処理すると、あなたはなぜこの世で他の人と一緒に時間を過ごしているのかが明確になり、「ガラクタ」のために言い争いをしているよりも実りある関係が生まれるでしょう。

自分を恥じるようになる

あなたはおそらく家があまりにも乱雑になっているので友人を家に招くことすら出来ず、誰かが突然遊びにきたらパニックに陥《おちい》るでしょう。「ガラクタ」と一緒に孤独な人生を過ごすことも出来ますが、気持ちの良い大掃除を行なって、自分の自信を取り戻し、社会との交流を再開した方が楽しいとは思いませんか?

人生の展開が遅くなる

私が知り合ったすてきな老夫婦は、十五部屋もあるきれいな邸宅に住んでいました。子供たちはすでに皆独立し、彼らは幸せで愛情溢れる結婚生活を送っていたのです。リビングルームと、それぞれの子供たちが使っていた寝室はきれいに整理されていました。ですが年月がたつうちに、二人の寝室と他の三つの部屋は「ガラクタ」でいっぱいになってきたのです。ある部屋は装飾品とありとあらゆるものが重なってまるで古道具屋のようになり、ある部屋は腰の高さまで洋服で埋め尽くされ、三つ目の部屋はそれぞれの持ち物、箱に詰められたままのもの、叔母から相続した「未整理のもの」で足の踏み場もないほどでした。

誰かに聞かれると二人は残された人生をゆったりと旅行でもして暮らしたいと言うのですが、頭の隅にはいつもこのガラクタの部屋のことがありました。旅行に出かける話が持ち上がるたびに、二人は家をきれいに整理してからにしようということになるのです。そのために、このガラクタは二人を何年も家に閉じ込めたままでした！

人生を無為に過ごしてはいけません。机に向かって、家が整理できたらやりたいことをリストにしてみましょう。そしてそのリストを、大掃除に取りかかるための励みにするのです。

気分が鬱《うつ》になる

「ガラクタ」の鬱積したエネルギーは、あなたのエネルギーを奪い取って落ちこませることもあります。実際の話、鬱状態になった人で身辺に「ガラクタ」が積み重なっていない人物にはまだ会ったことがありません。不要なものが溜まるにつれて無力感はひどくなりますが、それを処理すれば新しいエネルギーが入ってきてかなりのところまで回復するのです（鬱状態に陥るのは、あなたの内なる存在が、新しいことを始める時期だと判断してそれまでの活動をやめさせようとしている場合が多いのです）。

もしあなたの落ちこみ状態が激しくて整理を始めることなど考えることも出来なければ、せめて床の上に落ちているものを拾いましょう（鬱状態の人たちは、低い場所にものを溜めこむことが多いのです）。それによって、少し気分もエネルギーも上向きになります。

また家の磁場（地球から放出するエネルギー）が悪くないか調べるのも、ひとつの手です。「ガラクタ」は悪い磁場に集中しがちで、あなたの鬱病もそれに影響を受けているかもしれません。

超過荷物になる

あなたが家に「ガラクタ」を溜めこむ人ならば、おそらく旅の荷物も多いでしょう。「ガラクタ」に捉われた人は、旅行に出かける時も「もしかすると使うかもしれない」荷物をたくさん引きずって歩き、お土産も買いすぎて超過料金を支払うはめになるのです。彼らは精神的にも超過荷物を抱えています。もぐらが作った土の塊《かたまり》が巨大な山に思えたり、必要以上に物事をドラマチックにしたり、想像をふくらませて悲しんだりはしていませんか？　物質的に軽くすることで心も軽くなり、人生はもっと楽しくなるのです。

感性が鈍《にぶ》り人生の楽しみを味わうことが出来なくなる

「ガラクタ」は音をブロックし、環境を悪くすると同時に、人生を楽しむ感性を鈍らせます。いつも同じ場所でパターンにはまった生活を、毎日毎日繰り返すようになってしまうのです。「ガラクタ」を片付けると、新たなインスピレーションが生活の中に舞いこむようになります。たとえ家の中にいる時でも定期的に移動するように心がけるだけで、新しいエネルギーを取り込むことが可能です。

あなたが人生に情熱、喜び、楽しみを求めているのなら、本格的な大掃除をすることは絶対に必要です。この感覚は体の中に活発なエネルギーを流し込むことで生まれ、その通路が滞っていては決して味わうことが出来ません。

余分な掃除を強いられる

「ガラクタ」がたくさんある家では、それを処分する必要があるだけではなく、掃除をするのに倍も時間を取られます。ものが溜まれば溜まるほど埃《ほこり》が積もり、エネルギーを滞らせ、ますます掃除をしたくなくなっていきます。どんどんドツボにはまっていくのです。

あなたが「ガラクタ」を処分して、掃除の時間が半分になったら、その分の時間をどれだけ有効に使えるか、ちょっと想像をしてみてください!

整理整頓が悪くなる

鍵が見つからない、眼鏡をなくした、お財布を見失ったことというがこれまで何回ありましたか？　捜しものが見つからずついに諦《あきら》め、何週間か、何ヶ月後にそれがどこからともなく出てきたということが、今まで何度ありましたか？　あるいは捜し続けるよりも、新しいものを買ったほうが早いという経験がありますか？

整理整頓が悪いと時間が無駄になり、まるで自分は人生の落ちこぼれであるかのような気分になります。若い頃に両親に反抗するために部屋を汚くしていたという人は大勢いますが、大人になってもその習慣を続けることは、人生に足枷《あしかせ》をはめていることにしかなりません。子供時代の未解決問題を一生引きずらないで、自分の家を自分でコントロールし、気に入った状態にしておくことで、力が湧いてくるものです。

健康に悪く、火事の危険性を招く

ここまでいくこともあるのです。「ガラクタ」が悪臭を放ち始め、黴菌《ばいきん》を培養し、湿気を含んで腐り始めたら、それはあなたや近所の人々にとって非衛生的です。溜めこんだものの種類によっては、火事の危険性を増長させます。

あなたにとって健康と安全、そして近所との良い付き合いが大切ならば、これ以上ひどくならないうちに片付けましょう（気がついたら自然にきれいになっていた、なんてことは絶対にないのですから！）。

好ましくない信号を発する

あなたのガラクタは、どのような信号を発しているのでしょう？　家の装飾、飾る絵、写真など身のまわりのものは様々な信号を発するので、注意して選ばなければならないと風水は教えています。感傷的な理由から取っておいたものが、本人がすでに欲していない信号を発しているというのは驚くほどよくあることなのです。

わかりやすい例をあげましょう。あなたが独身でパートナーを捜しているのなら、単体の装飾品や一人で写っている写真を飾るのはやめて、対の装飾品、あるいはペアで写っている写真などを飾ってください。あなたが言い争いが嫌いなら、インテリアにあまり赤を取り入れてはいけません。気分が落ちこんでいたら、部屋の中から下に向かってぶらさがっている物質を取り外して、エネルギーの向上をはかるために上向きの物体を置いてください。第十五章の「ガラクタと風水の象徴学」をよく読んでください。あなたの所持品が好ましくない信号を発していることに気がついて、「ガラクタ」の量が一気に半分になるかもしれません！

お金がかかる

ものを溜めこむことは、実際どのくらいのお金がかかるものでしょう？　他の理由が全てダメでも、時にはシンプルな数字が人々の「ガラクタ」を片付けさせる動機になることもあります。

ちょっと足し算をしてみましょう。各部屋に行って、あなたがほとんど、あるいはまったく使わないものが占めているスペースを計算してください。このプロセスは、正直に行わなければなりません。正確にやりたければ、あまり好きではないもの、昨年一度も使わなかったものを入れてください。もう少しお手柔《てやわ》らかにいきたければ、使わなかった期限を二、三年に延ばしても構いません。平均サイズの家ならば、大体次のようなものが出来るはずです。

1　玄関先　5％
2　居間　10％
3　ダイニングルーム　10％
4　キッチン　30％
5　寝室1　40％
6　寝室2　25％
7　物置部屋　100％
8　バスルーム　15％

9 倉庫 90%
10 屋根裏部屋 100%
11 庭の道具小屋 60%
12 車庫 80%

「ガラクタ」の総量 565%

さて、部屋数でスペースの総量を割ってみましょう。
565% 割る十二ケ所 = 平均一ケ所に四十七%の「ガラクタ」が!

この例によると家賃、あるいは月賦の支払いのうち四十七%が「ガラクタ」の保管のために使われているのです。あなた自身の見積りも、どうぞやってみてください。

あなたはもしかすると家からものが溢れて、お金を払って倉庫を借りる段階までいっているかもしれません。貸し倉庫のオーナーたちは、近年このビジネスが目覚しい伸びを示していると言います。都会では、この倉庫を借りるために何ヶ月も前から予約をしておかなくてはなりません。このようなことにお金を使う必要が、本当にあるのでしょうか?お金を使うのなら、ほかにもっと有効な使い方があるのではないですか?

これ以外でも「ガラクタ」を溜めこむことは、無駄遣いのもとになります。これらのものを買うときに使う時間とお金、そして家に帰ってきた時にそれを置く場所を捜す時間。

さらに、それらを保存するためにものを買う場合もあります。保管用のボックス、棚、洋服ダンス、引き出し、書類用キャビネット、トランク、さらに極端な場合は家の改装、庭に建てる物置、屋根裏の床張り、あるいは二つ目の物置を作るなど。

これらの場所をきれいにしておくための掃除費用、適切な温度と湿度を保つための器具、天候や害虫から守るための保存手段、そして引っ越す時の費用もあなたが払うのです。

あなたはさらにそれに保険をかけたり、泥棒から守るために警備システムを取りつけたりするかもしれません。

最後に、ようやくそれらを手放す気になった時の時間、費用、そして精神的なエネルギーというものもあります。

そんな犠牲をはらう必要が、本当にあるのでしょうか？

これらの費用を総計すると、物質そのものよりもお金がかかっていることが多いものです。よく考えてみてください。

あなたは多くの時間、費用、エネルギーをかたむけてほとんど使わないものを買い、理由もないのにそれらを良い状態で保存する努力をし続けているのです！

大切なことに頭がいかなくなる

あなたがものの主人ですか、それとももののがあなたの主人ですか？　所持品の全てはあなたに世話を要求し、「ガラクタ」が増えれば増えるほど、あなたは重要ではないことにエネルギーをとられます。前の章で語ったように、すべてのものには手間がかかるのです。いらないものを処分すれば、もののお手入れなどに時間を使うかわりに、本当に大切なことを処理することに頭がいくようになります。

「ガラクタ」があなたにどのような影響を与えるかを理解すると、ものを保存する時に新しい視点が出来るでしょう。決意を固めるためには、そもそもなぜ人はいらないものを溜めこむのか、理解することが必要です。それを次の章でお話しましょう。

第六章 人はなぜ「ガラクタ」を溜めるのか

この質問には一言で答えることはできません。でもこの章を読んでいけば、あなたにもきっと思い当たる部分があるでしょう。

これまで大勢の人々に、「ガラクタ」を処理するためのカウンセリングをしてきましたが、「ガラクタ」そのものは問題の物質的な部分でしかありません。なぜ人はいらないものを溜め込むのか、それには何層にも重なった理由が根底に横たわっているのです。

「忙し過ぎる／怠け者だ／ストレスが多すぎる」というような言い訳は、単なるごまかしでしかありません。あなたに「ガラクタ」を溜める時間があるのなら（それは誰にとっても簡単なことです）、片付ける時間だってあるはずです。言い訳をすることは、溜めこむ心理的な理由を見つけるのを避けようとする、一時逃れに過ぎません。

先に進む前にまず、私はどんな人々もその時点で可能な限りのベストを常につくすものだと固く信じていることをお知らせしておきます。ですから「ガラクタ」（そして所持品のすべて）の決断を今すぐ下して、捨てるものは捨ててしまいましょう。それにともなう罪悪感も、ついでに捨ててください。あなたが「ガラクタ」

を溜めこんできたのには、それなりの理由がありました。ですからあなたの人生にとって、この「ガラクタ」はお似合いだったのです。たった今までは。

この章の目的は、あなたがなぜ過去に「ガラクタ」を溜めこんできたのかを理解して、クリアリングをし、将来溜めこまない手助けをすることです。このパターンは潜在意識深くに埋めこまれ、あなたが意識をするまで人生を支配するでしょう。あなたがその存在に気がついた時から影響は徐々にうすれ、そのうち過去の自分の「ガラクタ」を溜めこむ習性を笑いとばすことが出来るようになるに違いありません。

ではなぜ必要でもないものを溜めこむ気になったのか、理由をあげてみましょう。

「いざという時のために」溜めこんだ

「ガラクタ」を溜めこむ人々が、まず一番にあげる理由がこれです。「捨てることなんて出来ません」と彼らは嘆願します。「だっていつか必ず必要になるでしょうから」。

あなたが定期的に使うものは、どうぞ保存してください。でも本当に、ここ何年も溜めてきたこれ全部（隙間を埋めるほどまで）が必要なのですか？

「だって将来のことはわからないでしょう？」とあなたは言います。過去に何かを捨ててから、必要になった体験を思い出しているのです。ではなぜそんなことが起きたのか、どうすれば変えられるのか、お教えしましょう。

「いざという時のために」ものを溜めこむのは、自分の未来に信頼をおいていないことです。あなたの未来はあなたの想念で作るもの。ですから捨てたら必要になるのではないかと心配をすれば、それがどんなに些細《ささい》なものであれ、全くその通りの状況に陥るのです。「捨てたら必要になるだろうって、わかっていたのに！」とあなたは嘆きます。でも考え方さえ変えていたら、そんな状況は避けられたのです。いらないものを後生大事に持っているのは、必要な時に必要なものを与えてくれないのだろうと、天に向かって不信のメッセージを送るようなもの。だからいつも将来の心配をして、精神的に不安なわけです。

自分だけのために心配しているわけではない場合も多いでしょう。他の人が必要になった場合のことも、真剣に考えているかもしれません。「万が一、誰かが必要になった場合」を考えて、全てのものをとっておくのです。あなたはまだ出会ったこともない人のために、そして決して起きないかもしれない状況のために、ものを保存しているのです。そうしていたら、捨てられるものなど何もなくなってしまいます！

以下にあげたのは、私がこれまで出会った中でもっとも滑稽な、「いつか必要になるかもしれない」ガラクタのリストです。

＊屋根裏に五つの水槽を十五年間保管していた、もともと魚が好きではない男性
＊台所の棚を天井まで占領していた、空瓶、マーガリンの容器、卵の空き箱など。結局二十年以上のあいだ、一度も使わなかった
＊「万が一、彼が気を変えて」女性と結婚する気になり、子供を作った場合に備えて部屋いっぱいのおもちゃを蓄えていた、ゲイの息子を持つ両親
＊1981年版の、英国全土の電話帳全巻セット（1997年に発見！）

あなたも家中を整理すれば、右のリストに加える面白いものが見つかるでしょう。

素晴らしいのは、処分したものが突然必要になるという状況は自分が創《つく》り出していることに気がつくと、そのようなことが起きなくなるという事実です。そしてものを処分する決意をすると、二度とそれが必要でなくなるか、必要になった時に前よりも質の良いものが不思議と手元に転《ころ》がり込むという経験をするでしょう。これにはある種のコツがいるのですが、誰にでも習得出来ます。あなたが運命を信頼すればするほど、運命はあなたの面倒を見てくれるのです。

自己存在価値という執着心

ものに執着するもうひとつの理由は、あなた自身の存在価値がそれと関わっていると感

じているからです。十年前に見に行ったコンサートのチケットの端切れを見て、「そうだ。見に行ったんだ」と反芻《はんすう》をする。友人がくれた装飾品を見て、「これをくれるほど私のことを気にかけてくれる友人がいる」と感じるというように。これらのものに囲まれていることによって、自分の存在価値をより確かなものに感じているのでしょう。

その品があなたにとってまだ価値があり、人生全体が過去にしばりつけられるほど大量でなければ、楽しかった思い出の品を保管するのは構いません。定期的に現在の自分の好みに合わせて整理していけば、その状態を保つことが出来るでしょう。

このような品々を処分するのには、独特の難しさがついてまわります。あなたがその品物に自分を強烈に投影しているため、それを捨てると自分の一部も捨てるような気持ちになり、友人からのプレゼントだとその人の親切心を捨てているような気分になるのです。

このような複雑な感情が湧き起るのは、ある程度の根拠があることです。ものに対する執着はある種の波動を発し、よく使うもの、好きなもの、自分で作ったものなどには、本人のエネルギーが浸透しています。友人からのプレゼント（特に大切にしていて「あなたに持っていて欲しいの」と渡されたようなもの）には、送り主のエネルギーが浸透しています。人々が泥棒や火事、洪水などの災害で全てを失ったときに、精神的にダメージを受ける根底には、このような理由があるのです。彼らは自分や友人の一部が失われたことに対して、嘆いているのです（でもこのような事件は、実際には大いなる自己が天命を受けて、新たな人生のスタートをきらせようとしている、素晴らしいチャンスでもあるのです）。

でも私たちが素晴らしい人生を生き続けていくために、ものに対する執着心に頼る必要はありません。ものを処分することは、全く問題がないことなのです。強い執着があるのなら、その品々はもっと良い家にもらわれていくのだと思えば楽になるでしょう。愛情を込めて、それを有効に使ってくれる人にあげてください。そうしているうちに、ものを処分するよりも執着する方に良心の呵責《かしやく》を感じるようになるはずです。

あなたの執着心は、その品をもっと必要としている人のところに行くのを妨《さまた》げているのですから！

社会的地位という見得

これはいわゆる「世間体のための見得」というやつで、自尊心をどんどん低くしていく役割を果たします。何も私は大邸宅に住んでいる人が、全て自尊心に欠けていると言いたいのではありません。でも中には単なる「外聞のために」必死で努力をし続け、どれほど「財産」が増えても、自分で自己評価を変えない限り満足できない人々もいます。

物質欲に支配されている西洋文化の中にいると、自分が誰なのか、なぜ生まれて来たのかということを考えなくなりがちです。往々にして人間を人柄よりも金銭的価値で判断する米国において、それは特に明確です。あなたがそのような理由からものを集めているのなら、単なる幻想にすぎません。この世を去るときは、誰も何も持っていけないのです。あなたの永遠なる魂の値打ちは、物質的な世界で判断されるのではありません。

安心感

人間の持つ巣作り本能に従って必要な住まいを作るのは健全なことですが、時にはその欲求が脱線していくこともあります。現代社会の広告は、意識的に我々の不安を煽《あお》りたてようとしています。「これを持っていなければ、一人前の人間とはいえない」というメッセージが、常に根底に流れているのです。あなたがどれだけ広告の影響を受けているかを確かめるため、今度外出する時には街頭の宣伝をいっさい読まないようにしてみてください。言葉がわからない外国にいるのでもない限り、これはほとんど不可能なはずです。何十億円もかけているこれらの広告は、実に巧妙に、私たちを調教しているのです。テレビやラジオ、新聞、雑誌、ポスター、車のステッカー、Tシャツ、インターネットなどに溢れた広告は、いつも「買いなさい」「買いなさい」と言い続けてきました。

でも真実はこうです。どれほどあなたに欲しいものがあろうとも、絶対にこれで充分だと満足することはありません。何かを買ったらその途端に、何か「必要」なものが出てくるのです。加えて、あなたはその品をなくしたらどうしようという心配まで抱え込むことになります。私の知り合いの中でもっとも精神的に不安定なのは、億万長者たちです。安心感というものは、自分が何者で、何をするためにここにいるのかを把握した時に初めて生まれてくるものなのです。

縄張り意識というエゴ

あなたが何かを買う決心をした時、どのようなことが起きるのか考えてみましょう。たとえば新しい上着を買いに出かけたとします。気に入ったものを見つけましたが、他にも良い品がないかあたりを見ているうちに、他の人がその上着を手にしようとしています。あなたは心の中でパニック状態に陥り、「あれは私の上着よ」と思います。

その人物が上着から手を離すのを見てほっとするか、あるいはやや気まずいながらもその人のところに行って、すでにあなたが買う決心をしていた、と言うかもしれません。この時湧き上がってくる感情は強烈なものです。でも考えてみれば、つい先刻まではあなたにとって何の意味もない上着だったのです。

あなたはそれを買い、家に持って帰ってエネルギーの絆《きずな》はますます強いものとなります。もし次の日にうっかり染みをつけたら、あるいは破ってしまったら、通りがかりのゾウに滅茶苦茶にされるなど何か予想外のことが起きたら、大変！ 大災難！ 胸がつぶれそう！ でもたった二日前までは、あなたにとって何の意味もなかった上着です。これは一体、どういうことなのでしょう？

このような縄張り意識や執着心は、ものを所有し、それを意のままにしたいというエゴから生まれます。あなたの魂は、人は何も所有できないことをわかっています。

要は、ものを所有することが幸せにつながりはしないと、気がつくか気がつかないかだけ。生きていく上で役に立つものもありますが、生きる目的そのものではありません。

遺伝する「ガラクタ」を溜める習慣

私たちの行動パターンの多くは、両親から引き継がれたものです。あなたの両親のどちらかが「ガラクタ」を溜めこむ人だったら、おそらくあなたもその習慣を引き継いでいるでしょう。この行動パターンは、何世代にも渡って引き継がれることが多いのです。

先祖代々「ガラクタ」を溜めこんできたという人の状況をよく把握するために、最近気がついた興味深い事実をお知らせしましょう。家系図を六百年遡《さかのぼ》ってみると、大体二十世代の祖先がいます。それぞれの祖先が配偶者と二人づつ子供を作ってきたとすると、直接の祖先だけでも百万人以上いることになります。それだけの人々が「ガラクタ」を溜めこんできたなんて、驚くべき数ではありませんか。

「万が一のため」という考えは、精神的に言うと貧乏性潜在意識（裕福性潜在意識の逆のもの）で、これは通常親から子供に伝達されます。ですからあなた自身は飢えたり、何かが不足したりという体験がないまま育ったとしても、若い頃苦労をした両親からこのような恐怖心を植えつけられました。アメリカ人の大部分はまだ大恐慌時代に国民が体験した恐怖心を心のどこかに持っているし、アイルランド人は1840年の大飢饉の体験談を、多くの国々では戦争時代の食糧難の苦い思い出を抱えています。

でも考えをほんの少し変えることで、あなたを育ててくれた世代のもの欠乏恐怖症から解放されます。さらに一歩踏み出せば、足りないことではなく溢れていることに目を向けて、もう必要ではないものを喜んで処分することが出来るようになるでしょう。もっと良い、新しいものを人生に取りいれるスペースを作るため、積極的にものを整理していくようになるのです。

ここ何十年かのあいだに、遺伝系の病気など、祖先から受け継いだものを治癒させるための本はたくさん出版されました。あなた自身が「ガラクタ」を処理することを学ばなかったら、子供たちにはどんなことが起きるでしょう？　今こそ未来の子孫のために、先祖代々の悪習慣をたちきるチャンスではありませんか？　これは子孫のためになるだけではなく、祖先の系譜を見なおす良い機会でもあり、結局はあなた自身のためなのです。

多いほど良い、という信仰

たとえば、こんなことです。西洋社会には、台所の包丁と言っても色々な種類がありま

す。

小さいものを切るために小さい包丁、大きなものを切る大きな包丁、先が尖《とが》ったもの、先が平らなもの、軽いもの、重いもの。そして目的に応じて、もっとも適した包丁を注意深く選ぶのです。でもバリ島に行くと、興味深いことがわかります。一家には包丁がたったひとつしかなく、それは考えつく限りの様々な目的に使われます。そして五歳の子供ですら、西洋社会のシェフのほとんどよりも、それをうまく使いこなすのです（試しに、パイナップルを剝《む》いて欲しいと頼んでみてください！）。私たちは広告にすっかり洗脳をされ、こんなに多くの種類の包丁が必要だと思いこみ、それを使いこなす技術を失ってしまったのです。

「多いほど良い」というテーマは、セールス熱心な製造元の会社がことあるごとにうったえ続けて、騙《だま》されやすい人々はすっかりそう信じています。今度あなたの郵便箱に「役に立つ、必須アイテム、今までになかった新製品」といったカタログが届いたら、たっぷり30分かけてこの「滑らず」「何にでも使える」「手入れが簡単な」その品を買ったらどれほど人生が楽になるかを考えてみて、それからリサイクル用のゴミ箱にカタログを捨ててください。衝動買いを思いとどまるのはとても勇気が湧いてくる体験ですし、どのみちあなたはその必須アイテムを使うことは決してなかったでしょう。

「ケチ精神」

溜めこむ性癖がある中でも特にガードの固い人は、払ったお金に見合う元手が取れたと思うまで、ものを手放そうとはしません。たとえバーゲンや、ただ同然で手に入れた場合も同じです。このような人は、その品が戸棚の中に半永久的にしまい込まれ、出番を延々と待ち続けていたのだとしても、最後の一滴分まで役に立たせないうちに処分するのは損だと考えているのです。

あなたがこの理由でものを捨てないでいるとしたら、あまり楽しい人生を生きている人だとは思えません。古ぼけた不用物を後生大事に溜めこんでエネルギーの流れを滞らせているところに、新しい良いものが入ってくることはありません。あなたのガードを少しゆるめて、人生がどう展開するか様子をみてください。

感情を抑えるためにものを溜めこむ

あなたは広すぎる空間や、多すぎる自由時間に不安を感じる人ですか？「ガラクタ」は具合良くあなたの空間を埋め尽くし、あなたを忙しそうに見せてくれます。それで一体、何を避けているのでしょう？　もっとも一般的なのは、孤独とか、問題を直視する恐れなど、「ガラクタ」の中に埋めてしまった方が楽な感情です。でもこのような感情を抑え続けるには、とてつもないエネルギーが必要です。恐れに向き直って、自分を直視する勇気を持ったとき、人生がどのように開花していくか、あなたはきっと驚くことでしょう。「ガラクタ」のクリアリングをするのは、それを実行するのにもっとも痛みを伴わない方法です。何といっても、自分のペースで出来るのですから。

強迫観念

中には身動きのとれないほどの「ガラクタ」に囲まれた、重度の強迫観念に悩まされている人もいます。もしあなたが、いつか必要になると思うと心配で何ひとつ捨てることが出来ないという状態にあるのなら、この本はあなたの抱えている問題を理解する助けになるでしょう。でも同時にあなたは、経験豊かなセラピストにプロとしてのアドバイスを求めなければなりません。

全ての領収書、全てのビニール袋、全ての新聞紙などとにかく何でもとっておかなければ気持ちが落ちつかないという人々に会ったことがあります。本来なら家とは社会に出ていくためのエネルギーを補充する安らぎの場所であるはずなのに、このような人たちの家は、自分で作り上げた悪夢の世界になっているのです。「ガラクタ」のクリアリングはセラピー代わりになるものではありませんが、より幸せな、過度な執着を持たない暮らしを見つけるための、大切なプロセスなのです。

第七章　ものを処分する

「ガラクタ」クリアリングするのは、ものを処分するということ。でも、それは物質面のことだけではありません（ものは、単なる結果の一つです）。もっとも大切なのは、必要ないものに執着してきたあなたの、処分することへの恐怖心を取り除くということです。

「ステレオを取りに来た」

私は年間の半分をインドネシアのバリ島で、残りの半分を西洋社会で暮らしています。このような生活をやろうと決めてから、すでに八年が過ぎました。時には他の人から、このようなライフスタイルを自分もやってみたいと言われることもあります。彼らは私がお金の詰まった壷を持っていて、何でも自由気ままにできるのだろうと思っているのです。でも実際には当時の私には何もなく、あるのは年の半分をバリ島で暮らしたいという消すことの出来ない願望だけでした。彼らが自分の人生を真剣に見直して、やりたいと思っていることに立ちはだかるものは何なのかを点検すると、多くの場合見えてくるのは執着心です。

それまで築き上げてきたものが、本当にやりたいことを実行する自由を妨げているのです。スチュワート・ワイルドは私が尊敬する人物です。世界中を旅をすると、つい数日前まで彼が滞在していたと耳にすることが何度もあり、そのうち本人に出会うことが出来れば良いなと思っています。彼の著書「Infinite Self／無限なる自己」の中の一章が、特に私の気にいっています。章の名前は「何にも執着しない」です。

あなたが持っているものは全て、神の意思からの贈り物です。あなたが帰宅してステレオが無くなっていたら、大騒ぎをせずに「ステレオを取りに来たんだ」と言ってください。それは神の意思で戻っていったのです。今では誰かほかの人が、それの所有者になったのです。あなたの人生には、新しいステレオが入ってくる余裕が生まれました。あるいは、もうステレオなど必要ないかもしれません。瞑想にうってつけの静寂が訪れたおかげで、あなたは自分が何者でこの世で何をするために生まれてきたか、考える機会が与えられたのです。

そしてあなたがお金の使い方を求めているのなら、彼のアドバイスはこうです。

お金とは、持たないためのもの。使うためのものです。お金を流通させるのは、基本的に体験を買うためです。人生の最後には、銀行口座をゼロにしておきたいもの。そして人生を振りかえって「神様、私はなんて多くのことを体験出来たのでしょう」と言うのです。想い出は、決して失うことはありません。

単に立ち寄っただけ

人生は常に変化しています。ですから何か新しいものがあなたの人生に転がり込んできたなら、それを満喫してうまく使い、そして時期が来たら手放しましょう。これは、実にシンプルなことです。何かを所有しているからといって、一生それを持っていなければならないということはありません。人生にちょっとだけ立ち寄った多くのものと同じように、あなたはそれを一時的に所有しただけなのです。この世を去るときに、キッチンの棚の中身を持っていくことは出来ませんし、持っていきたいとも思わないでしょう!

物質的なものは全て、単なるエネルギーの一時的な形でしかありません。あなたは家を所有していて、銀行には貯金がたくさんあると思っているかもしれませんが、実際にはあなた自身の体ですら自分のものではありません。体はこの地球から一時的に借りているものので、用が済んだら自動的にリサイクルされ、あなた無しで違うフォームを与えられるのです。あなたは魂そのものです。崇高で永遠なる、破壊されることのない魂。でも肉体は、一時的なもの。単なる「借りもの」というのが、一番正しいでしょう。

恐怖心をなくする

人々が「ガラクタ」に執着するのは、手放すことが怖いから、整理した時に湧き上がる感情を恐れているから、捨てたことを後悔するのが怖いから、不用意で無防備になるのが怖いからです。「ガラクタ」のクリアリングが、直面しなければならない多くの「もの」を表面化させるということは、誰もが本能的に知っているのです。

もっとも「ガラクタ」クリアリングがもたらす結果は、それを補って余り有るものです。

愛と恐怖は同じ空間に共存することが出来ないので、あなたが恐怖心のためにものをためこんでいる限り、そこには愛が入りこむ隙間がありません。きれいにものを取り除いたと同時に、人生に愛が注がれ始めるのです。恐怖心は本来のあなたの姿や、やるべきことを見失わせますが、「ガラクタ」のクリアリングを行うと、人生の目的がはっきりと見えてくるようになります。恐怖心は生きるエネルギーの流れを抑えようとしますが、いらないものを処分するとあなたには本来の生気が甦《よみがえ》ってきます。

「ガラクタ」のクリアリングによって、本来あなたのあるべき姿を取り戻す自由が手に入り、それは自分自身への最高の贈り物なのです。

第一部

「ガラクタ」を見分ける

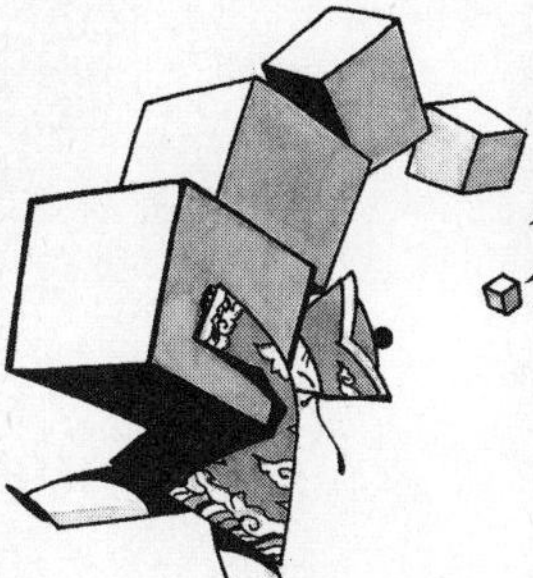

第八章　「ガラクタ」と風水定位盤

ここまで読んでもあなたがまだ片付けを始める気になっていなかったら、この章こそきっとその気にさせてくれるでしょう。

「ガラクタ」の定位盤チェック

風水定位盤とは、あなたが住んでいる建物のどこがどのように人生に影響を与えるのか理解するための方位です。

家の特定の場所に、いくら片付けてもたちまち「ガラクタ」が積み重なっていくようでしたら、定位盤を調べてその場所に当てはまるあなたの人生がどのような状態なのか確かめてみましょう。おそらくそれは、現在のあなたが一番注意をしなければならない分野であるに違いありません。住居と人生というのは、分けて考えることは不可能なのです！ですからあなたの人生に心地よい調和をもたらすため、何を置くのかよく考えてください。

もう何の役にもたたないものを保管しておくことは、それがどこであれ、かなり悪い影響を及ぼします。あなたが家の中の繁栄を司る位置にある部屋に、「ガラクタ」を溜めこんでいると、あなたに財政的な問題が持ちあがるでしょう。

私の講習を受けた会計士の男性は、ある実験をしてみることにしました。彼のビジネスはスランプに陥っていたのですが、仕事場で繁栄を司る場所に壊れた鏡と飾り物を置きっぱなしにしていたことに気がついたのです。それを片付けると、驚いたことにそれから数日のうちに一本のみならず二本も電話がかかってきて、両方とも彼の大口の顧客になったのでした。もっとも驚いたのはこの二件ともが大きな企業で、それまで使っていた会計事務所に不満を持ち、突然新しい会計士を捜す気になったこと。しかもその方法が職業別電話帳を開くという珍しいやり方で、たまたま最初に彼の名前を選んだというのでした！

彼はとても感激して、わざわざその話をクラスでするために再び私の講習に戻ってきました。長年のあいだに、ほかにも同じような体験談を数え切れないほど耳にしてきました。

定位盤を使う

風水を真髄まで学ぼうとすると、何年もかかります。本書を読んだあとで、もっと深く学んでみたいと思う人たちもいるでしょう。でもここでの目的はあなたの「ガラクタ」をきれいに処分することですから、ごく基本的な定位盤だけをご紹介します。

あなたの家に、この定位盤を当てはめてみましょう。紙を用意して、建物の簡単な見取り図を描いてみてください。鳥瞰図のように、外側の輪郭と壁、ドアの位置などだけで結構です。あなたが一戸建ての一部を借りているのなら、建物全体ではなく、アパートだけ、あるいはあなたが借りている部屋だけを描いてください。

次に、玄関が一番下に来るように、紙の位置を回してください。あなたが玄関から中に入ろうとしているようにです。家の玄関は、人の入り口でもあると同時にエネルギーが入ってくる場所ですので、これを基として定位盤の方向を決めるのです。（次のページの図を参考のためにご覧ください）

（アイルランドの人々、あるいはそれ以外の国で気が置けないご近所付き合いをしている世界中の人々へ――もしあなたの家族、来客、郵便配達人が通常あなたの家の裏口を使用しているのなら、定位盤の玄関も裏口にしなければなりません！）

次のステップは、定位盤を見取り図に当てはめてそれぞれ人生を司る位置を調べるために、家の中心部を見つけることです。もし建物が長方形、あるいは正方形ならば簡単な作業です。それぞれの角から対角線をひいて、交わったところに定位盤の中心を当ててください。78ページで示したように、長方形がかなり細長くても定位盤は縦や横に伸縮させることが出来ます。

もし建物が不規則な形をしていたら、最初に四角形を作るところから始めて、それから対角線を引き、中心部を定めなければなりません。（79ページ参照）

風水定位盤

繁栄 財産 豊穣 幸運	名声 社会的信用 知名度	人間関係 恋愛 結婚
年長者 家族 コミュニティ	健康 ● 結合	創造力 子孫 計画
知識 叡智 向上心	職業 人生 行程	助けてくれる友人 慈愛 旅行

見取り図から中央を割り出し、定位盤を当てはめる

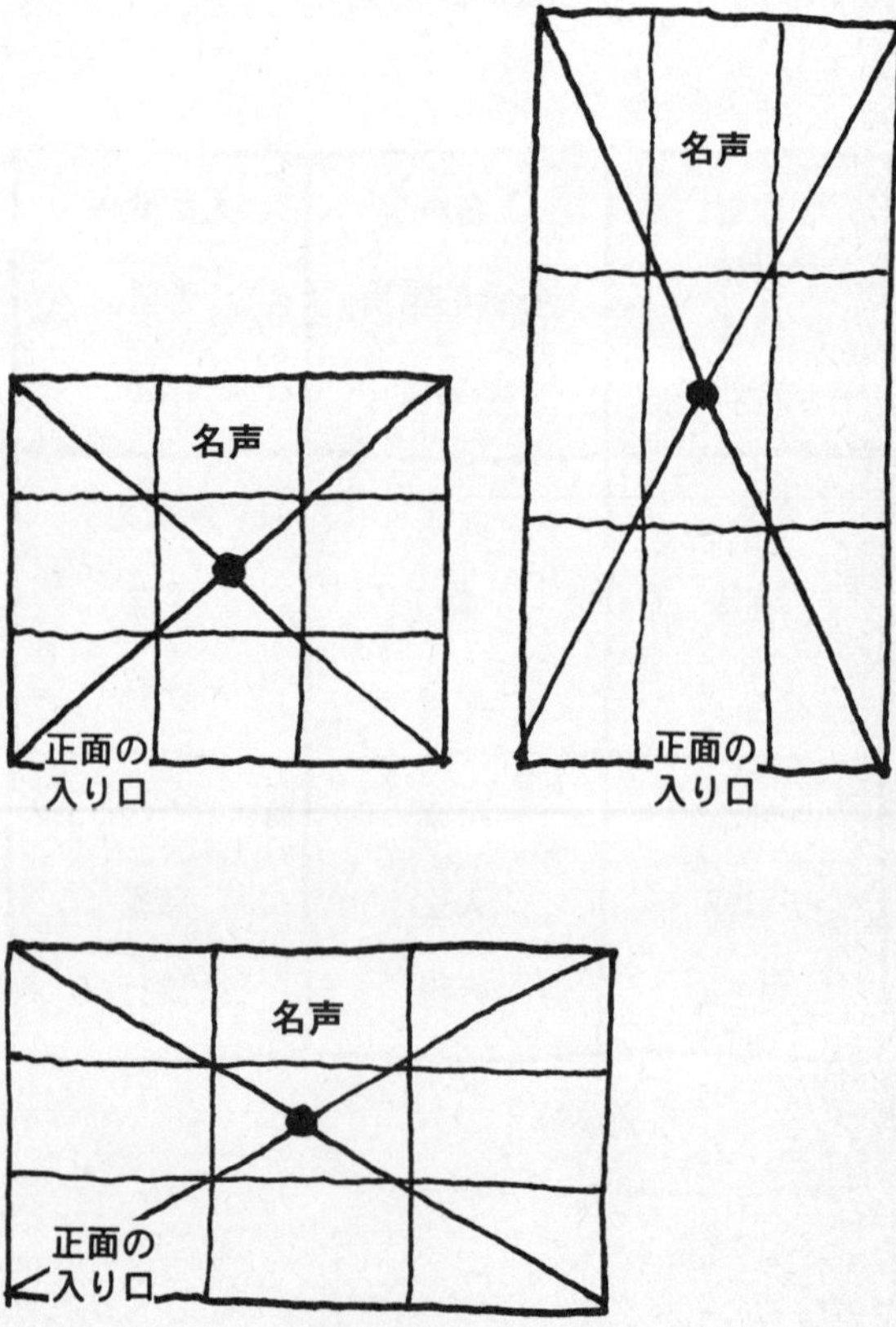

建物あるいは部屋が完全な長方形ではない場合は、欠けている部分を付け加えて長方形を作り、中央を定めて定位盤を当てはめる

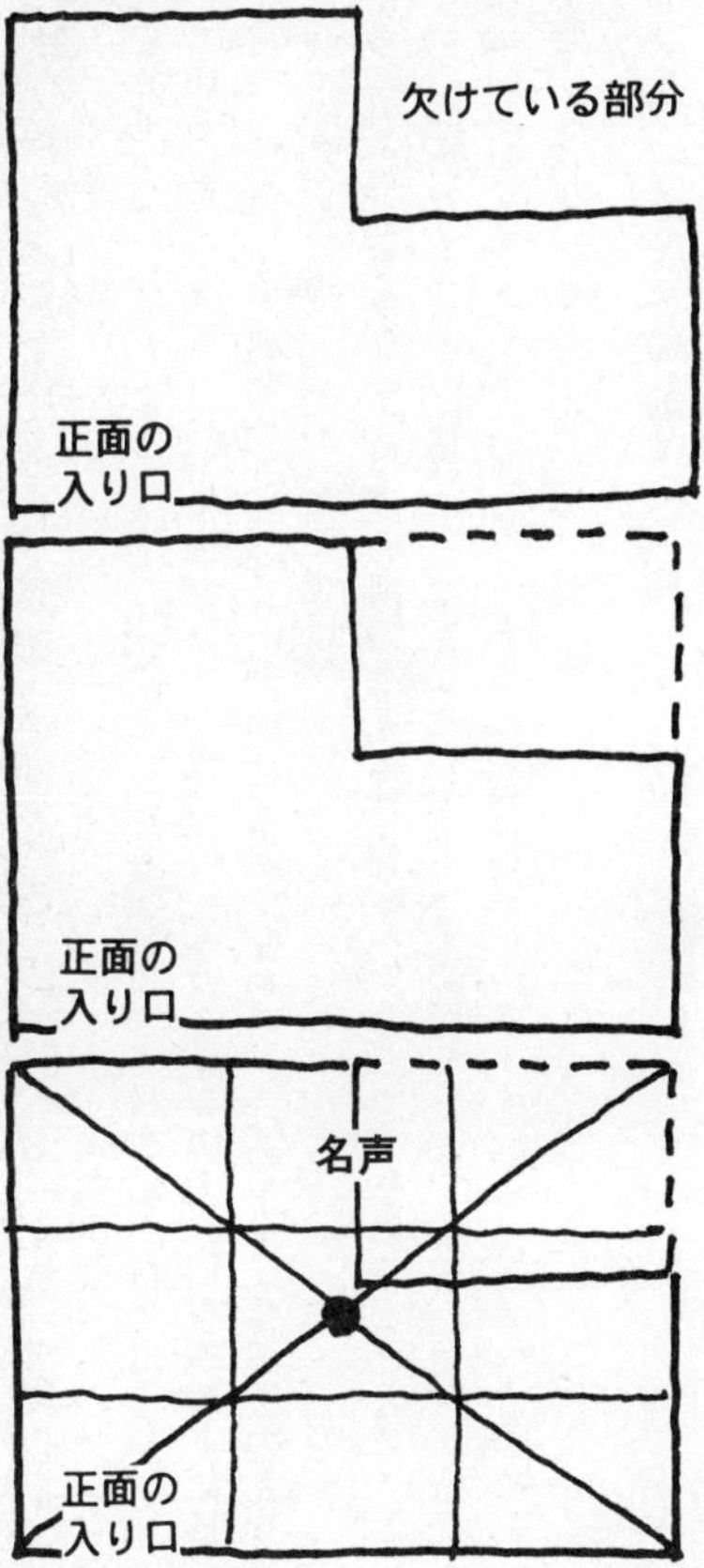

定位盤の中の定位盤

さてここからさらに面白くなります。定位盤は建物全体に当てはまるだけではなく、建物が建っている敷地全体にも当てはまります（敷地内に入るメインの入り口を一番下に持ってきてください）。また建物のそれぞれの部屋にも定位盤を当てはめます（各部屋の入り口を下に持ってくる）。

ですから密かに、「ガラクタ」は庭の隅の小屋に積めこんで隠してしまおうなどと考えても無駄です。庭の左上にある物置小屋はあなたの家計に悪影響を与え、右上の角にあると人間関係に問題が起きがち、正面の上にあると名誉に傷がつきます。「ガラクタ」を溜めこんでも影響がない場所など、ないのです！

「ガラクタ」と定位盤

私の最初の著書、「Creating Sacred Space with Feng Shui／風水で聖なるスペースを創る」では、どうすれば風水の恩恵を受けて人生をより素晴らしいものに出来るかという情報をたくさん掲載しました。本書では、それぞれの場所に「ガラクタ」を溜めておくことの影響を主にお話しています。

ちょっと簡単な練習を試してみましょう。あなたの家の中でびっしり中身が詰まった戸棚を思い浮かべてください。もう長いあいだそんな状態で、一体何が入っているのか忘れてしまったというような状態のやつです。この戸棚は、あなたの一部とつながりを持っています。あなたの中で、すでにその存在を考えることすらしなくなってしまったという部分があるはず。それが一体何であるのか、家の定位盤でその戸棚がどこに当たるのか、また部屋の中でどこに当たるのかを調べましょう。もしその戸棚が、あなたがよく使う部屋にあるのならば、部屋の定位盤の方が重要です。そうでなければ、家全体の定位盤を参照しましょう。

定位盤にある九つのセクション

定位盤のそれぞれのセクションは、いくつか違った名前で呼ばれていることに気がついたでしょう。個々の位置が司るエネルギーや波動の違いを把握してもらうために、そうしました。あなたにとって、もっとも身近に感じる名前を選んでください。

繁栄、財産、豊穣、幸運

この部分に「ガラクタ」を溜めこんでいる人は、金銭の流れに滞りが生じ、家計全体が停滞して、経済的に豊かな人生を歩むことを困難にします。

名声、社会的信用、知名度

この部分に「ガラクタ」が溜まっている人は、社会的信用に問題が起こりがちで、人気が衰えやすくなります。熱意、情熱、インスピレーションなども不足しがちになるでしょう。

人間関係、恋愛、結婚

この部分に「ガラクタ」がある人は、愛する相手を見つけることが難しい、あるいは現在のパートナーとの関係に問題が生じます。あなたが出会う相手は、あなたが必要とする相手ではなかったという状況に陥りがちになるでしょう。

年長者、家族、コミュニティ

この部分に「ガラクタ」がある人は、上司や経営側、両親やコミュニティの長老などとトラブルを起こしがちになります。

健康、結合

ここに「ガラクタ」がある人は、健康を害しやすく、意義のある人生目的を見失います。

創造力、子孫、計画

この部分が「ガラクタ」で埋まっている人は、創造力に行き詰まりを感じ、計画を実りあるものにすることが困難で、子供との関係、あるいは自分の部下との関係がうまくいかなくなるでしょう。

知識、叡智、向上心

この部分に「ガラクタ」がある人は、学習能力、正しい判断力、自己を高めていくことに行き詰まりを感じます。

職業、人生、行程

ここに「ガラクタ」がある人は、生きていくことで常に坂を登っているような苦労をします。自分が本来やりたいことをやっていないという焦燥感を感じながらも、本当にやりたいことが何なのかすらも、わからないかもしれません。

助けてくれる友人、慈愛、旅行

この部分に「ガラクタ」がある人は、まわりからの助けを妨げています。ですから、いつも「孤立無援」と感じることが多いでしょう。また旅行や引っ越しなどにも、障害が起きがちです。

定位盤テスト

私自身かなり疑い深い性格ですので、あなたがこの情報を受け入れる前にテストをしてくださることを心からお薦めします。一つのやり方は、あなたの家の定位盤の中から、現在順調にいっている部分を探し出して、その場所にガラクタを山ほど積んでみてください。そして数ヶ月放置して、様子をみましょう。私自身、以前これを試した時はとても悲惨な結果となりました！

もう一つの方法、前記したものよりもずっと建設的で私がお薦めしたいテストは、定位盤のうちあまりうまくいっていない部分を拾い上げて、そこの「ガラクタ」をきれいに整頓するという方法です。

例えば、あなたは普段からあまり助けの手を差し伸べられない方だと感じていたとしましょう。庭があれば、庭の定位盤の助けてくれる友人の部分、家の部分、そしてもっともよく使う部屋のそれに当てはまる部分をきれいにしてください。もしこの中で、自分で自由に片付けることが出来ない部分があれば（たとえば下宿人が使っているなど）、他の部分を特に熱心にきれいにしなければいけません。

もちろんもっとも良いのは、どこにあろうとも全ての「ガラクタ」を片付けることです。そうすれば人生全般的に、運が上がっていくでしょう。

次の章では特定の種類の「ガラクタ」を分析し、それが溜まりやすい部分に焦点を当てていきましょう。

第九章

あなたの家の「ガラクタ」ゾーン

家は、立体的に表現したあなたの人生そのものだと考えてみましょう。もしあなたが複数の同居人と一緒に暮らしているのなら、それはあなたの人生ではなく彼らの人生だと言うかもしれません。でも実はそんなに単純な問題ではないのです。あなたの身のまわりのもの全ては、たとえ同居人が作り上げたものであっても、あなた自身を投影しているのです。

この章では、もっとも「ガラクタ」が溜まりやすい場所を点検して、それがどのような影響を与えるのか分析してみましょう。

地下室、屋根裏、物置部屋

地下室など、家の下に位置する倉庫

地下室、地下倉庫は、過去の潜在意識を意味します。地下室に溜まった「ガラクタ」はあなたがまだ過去のことをきちんと清算しておらず、それがかなり重要事項であることを意味しています（人々はもっとも重いものを地下に置くことが多いのです）。

そこに積み重なっていた時間が、あなたがその問題を放置しておいた期間の長さです。もっとも地下室に運びこまれる前からその品が使われることがなかったのであれば、その期間も計算しなければなりません。

倉庫に長いあいだものを放っておくと、そのうち露、ネズミ、湿気、カビなど自然の救世主が、それを捨てざるを得ないような状況に追いこんでくれることでしょう。でもそのようなプロセスが起きている間、あなたの人生にどのようなことが起きるのでしょう? 救いようのない惨めさ、落ちこみ、無気力、虚脱感、あるいはあせりなどが、地下に溜めこんだ「ガラクタ」の与える影響なのです。

もちろん、地下倉庫にものを保存することは悪いことではありません。でも時々何をしまったか点検して、定期的に使うものだけを保管してください。そして空気やエネルギーが循環出来ないほど、ぎっしり詰めこまないようにしましょう。

屋根裏

屋根裏に溜めこんだものは、向上心、可能性にかげりを与えます。まるであなた自身が、ありもしない限界ラインを決めたようなものなのです。心配性になり、今にも落ちてきそうな問題が目の前にぶらさがっているような気分に捉われているのです! 屋根裏を片付けた後、人々はどれほど気分が変わったかを知らせるために私に書いてきた手紙をご紹介しましょう。

屋根裏をきれいにするのに、丸一週間かかりました。でも気分は最高、全身にエネルギーがみなぎっています。

＊

うちの屋根裏には、過去四十年分の想い出が詰まっていました。古いラブレター、写真、小物、お土産など。そこにはほこりが積もって、ネズミたちの遊び場になっていたのです。

私はその大部分を処分して、屋根裏をスタジオに改造しました。今では、家中でここが一番お気に入りです。新たに自分の芸術的才能を発見して、人生を楽しんでいます。

＊

あなたのカウンセリングを予約したのは、ここ何年かビジネスが伸び悩み、風水の力でもっと大きな展開をすることは出来ないだろうかと思ったからでした。そのあなたから屋根裏を片付けるようにと言われたのは全くの予想外で、正直言って私一人だったら実行していなかったと思います。妻に説得されてようやくその気になったわけですが、あれからあなたに言われた通りのことが起こりました。うちのビジネスはまるで蓋《ふた》を取ったように、上昇しています。新しいエキサイティングな展開となり、まるで夢が本当になったかのような気分です。

いらないものを放置する部屋

定位盤の章をすでに読んだあなたなら、このような部屋を家の中に二度と作らないことを願っています。物が積み重なったままの部屋から発するドロドロしたエネルギーは、その位置にあるあなたの人生に重い足枷《あしかせ》をはめるでしょう。どうしてもこのような部屋を一つ確保しなければならないのなら、せめて中をきれいに整頓しましょう。

「ガラクタ」を入れる引き出し

これを言うと驚くかもしれませんが、一つ、この引き出しを作ってください。ものを無造作に入れることが出来る引き出しを決めましょう。大きな家に住んでいるのなら、各階に一つずつ必要かもしれません。

「ガラクタ」クリアリングとは、神経質で完璧主義になることではありません。自分の所有しているものが鈍い滞ったエネルギーを発しないよう、家の中を風通しが良く清潔に保つためのものなのです。この忙しい世の中、私たちはその辺に散らばっているものをあまり深く考えずに放りこむことが出来る引き出しが必要です。ですから、「ガラクタ」を入れる引き出しは、ぜひ作ってください。ただし次の三つのルールは守りましょう。

＊ 小さな引き出しを選ぶこと
＊ 本当に必要な時だけ、使うこと
＊ 定期的に、中身を整理しましょう

玄関、入り口周辺、通り道

玄関

風水にとって玄関とは、社会に出ていくときの出口であり、またあなたが人生にどう対処するかの象徴でもあります。人々がこのドアを出たり入ったりするたびに、エネルギーも同時に出入りしています。この付近にものが溢れていると、外から良いエネルギーが入ってくるのを妨げて、社会で出世していくことを阻止します。ここをきれいにしておくことは、とても重要です。玄関の周辺の「ガラクタ」は、あなたの人生にいらないトラブルを巻き起こすのです。

次にあなたが玄関を使うとき、客観的な目でよく見てください。入ってくる通路は木の枝で被《おお》われていたり、植木が伸び放題になっていたりしませんか？

建物に出入りするときに目に付くような、「ガラクタ」がドアの外に置いてはありませんか？

中に入るのに茂みのようになったコートの山、そこらに散らばった靴やブーツ、レインコートや帽子、マフラーなどをかきわける必要はありませんか？　この場所を可能な限りすっきりさせて、特にドアの開閉の妨げになる障害物は取り除きましょう。

裏口

第十八章で腸をきれいにする効力について述べますが、摂取した全てのものは、排出します。

玄関がものを食べる口だとすれば、裏口とは……（ご自分で考えてみてください）。家に便秘をおこさせたくなければ、このあたりにものを積み重ねてはいけません。

ドアの裏

風水の効力を試す一つの簡単な方法は、家中のドアの裏側を全てきれいにしてみることです。これは掛け金や取っ手にかかっているもの（バスローブ、寝巻き、タオル、バッグなどその他諸々）、そしてドアの全開を妨げているもの（家具、洗濯物入れなど）のことです。

そしてあなたの人生が、どれほど楽になるか観察しましょう。とてもシンプルなことですが、とても効き目があります。ドアが全開しないと、家の中のエネルギーは自由に循環することが出来ないので、何をするのも余計な苦労がかかります。障害物を取り除けば家全体のエネルギーの流れも、人生ももっとスムーズになるでしょう。

通り道

廊下、通り道、階段などに置いてある障害物は、家に活発なエネルギーが入ることを妨げます。ですからあなたの人生は、進展の少ない滞ったものになるでしょう。もっとも悪いのは、そこを通るたびに体を半身にしなければならない障害物です。この部分を、可能な限りきれいに保ちましょう。

リビング周辺

ラウンジ、キッチン、リビングルーム

ここはそれぞれの家庭によって、かなり違う状態だと思います。いつもきれいに片付け

であり、いつ来客が来ても良いようになっているところもあります。中にはいつも台風が通り過ぎた後のようになっている家もあるでしょう。大切なのは、あなたの家には人々が自然に集まって来たくなるような、家の心臓があるかどうかということです。たとえ一人暮しでも、あなたがそのように使っている部屋があるでしょうか。

心臓がない家は、家とは言えません。

時にはキッチンテーブルが、あるいはダイニングルームがこのエネルギーの集まるところになり、家によってはそれがラウンジや茶の間だったりします。それがどこであれ、エネルギーがあまり早く通り抜けてしまわない場所にすることが肝心です。エネルギーが通り過ぎていく前に、その場のエネルギーを取りこみ、ブレンドしてから循環していく必要があるのです。ですからここは家の雰囲気にマッチする装飾品などを配置して、エネルギーを集めるのに適した場所です。可能な限り居心地の良さそうに、そして真ん中にはその家にふさわしいお洒落《しゃれ》な、家の中心になるような品物を置きましょう。

キッチン

あなたのキッチンの棚を占領しているものは何でしょうか？　私の講習に参加したある男性は、棚の中にある食料を食べきるまでは買い出しに行かないと決心をしました。そして彼は、何と八週間近くも買い物にいかずにすんだと言います！　最後には嫌いな缶詰が十個残り、彼はそれを捨てて買い出しに出かけたそうです。
あなたの棚も、きれいにしてみましょう。冷蔵庫と冷凍庫の中身も忘れずに。

寝室

寝室にはそぐわないもの

あなたの寝室は、他に置く場所がないもののゴミ溜めになっていませんか？そうだとすると、あなたは自分を粗末に扱っているのです。寝る場所にコンピュータやエクササイズ用自転車、壊れた家電用品などが詰めこまれているのは、理想的ではありません。寝室が散らかっているのは、大人にとっても子供にとっても良くないことです。ロマンスを求めている人も、相手を募集中の独身の人も、すでに相手がいる人も、寝室はきれいにしておかなければいません。汚れた洗濯物には不浄なエネルギーが集まりますので、汚れ物入れを寝室においてはいけません。そしてエネルギーを清浄で生き生きと保つため、週に一度はシーツを交換しましょう。そうすることによって、あなたの睡眠も、愛を交す時間もより充実したものになるでしょう。

ベッドの下

あなたのエネルギーが接する場所にあるものはすべて、睡眠の質に影響を与えます。ですからベッドの下にいらないものを押しこみたいという誘惑に負けてはいけません。ベッドの下に引き出しがついていたら、そこには清潔なシーツ類、タオルや衣類を入れておくのがベストです。

鏡台の上

とても興味深い事実ですが、鏡台の上に容器や瓶《びん》をたくさん置いてある場合、そのほとんどは空っぽです！　あなたのも、ぜひ調べてみてください！

寝室にある家具の表面は、出来るだけきれいにしておきましょう。その方がエネルギーが循環し、空間に調和をもたらします。

タンスの上

タンスや棚の上に「ガラクタ」が積み重なっているのは、あなたの目の前にいずれケリをつけなければならない問題がぶら下がっているのと同じこと。はっきりした頭で明晰《めいせき》に思考することを妨げ、起きて最初にそれが目に入る位置にあると、寝覚めはいつも心地悪くなります。家の中で目の位置よりも高いところに「ガラクタ」がたくさんあると、住む人に重圧感を与え、時には頭痛の原因にもなるのです。

タンスの中身

ほとんどの人は、日常生活の八十%のあいだに持ち服の二十%しか着ていないそうです。もしこれに疑いを感じたら、一ヶ月テストをしてみてください。あなたが何かを着て洗濯をするたびに、タンスの一番隅にかけてください。月の終わりには、あなたは（あなたが仕事の都合上、しょっちゅう違う服を着なければならないとか、このテスト期間中意識して違う服に袖を通していたら別ですが）きっとほとんど同じものばかり着ていたという結論に達するでしょう。

この20／80パターンに陥っているのは、何も服だけではありません。あなたが持っているもの全て、普段やっていること全てに当てはまるのです。私たちが手にした結果の八十%は、我々のしている努力の二十%から得たものなのです（これをビジネスの世界では、最初に言い出したイタリア人の経済学者の名前をとってパレートの法則と言います）。同じように私たちは所有しているものの二十%を、日常生活八十%の中で活用しています。

ですからタンスの中身を整理する時は、あなたが気に入って普段よく着ているもの二十%と、ただ場所をとっているもの八十%に正直に分けてみましょう。いらないものを捨てるのが、これでぐんと楽になるはずです。

八十％の中身を吟味する時、何を基準にして残すか処分するか、はっきりさせた方が良いでしょう。最初に、色をチェックしてください。プロのカラー・コンサルタントに、どの色があなたに似合い、あなたのエネルギーを増幅させるか、どの色がその逆の作用をするのか調べてもらうのは、とても良い投資です。あなたに似合うだけでなく、気分も良くしてくれる色見本の布地を手にすると、自信に満ち溢れてきます。それによって持ち服の五十％はこれまで人生に何の利益ももたらさなかったことが判明し、処分をするのがぐっと楽になるでしょう。

次に、残りの服に腕を通してみて、どんな気分になるか調べましょう。もし型、素材、裁断、布地、その他何か気に入らないことがあったら、処分してしまいましょう。あなたには心から気に入っているワードローブを揃《そろ》える、自分に対する義務があるのです。服がぎっしりつまったタンスを開けて、「何も着るものがないわ」などと愚痴る必要が二度とないように。

そして本当に欲しいもの以外は、二度と買わない決心をかためてください。どのみちそれは八十％の山の中に入って、お金の無駄遣いに終わるのです。本当に気に入って、自分に似合う服だけを買ってください。その結果、安い服二十着買えるお金で、贅沢《ぜいたく》な服を三着買うということになったら、そうしてください。たとえお金がなくても、そうすることをお薦めします。実を言えば、いつも身ぎれいにして気分も良い状態に自分を保つことは、あなたのエネルギーレベルを高くし、良い運を引き込むコツなのです。

服とエネルギーのバイブレーション

二十年以上も着たことのない服を、後生大事に保管している人たちもいます。しばらくすれば、またこのスタイルが流行《はや》りになると言うのです。でも私のアドバイスは、こうです。

去年一年袖を通さなかったもの、特に過去二、三年に袖を通さなかった服は、処分してしまってください。一年のあいだにあなたは四季を体験します。その季節にふさわしいのに、着たいという気分にならなかった服は、すでにお役目が終わっているのです。四季が二回か三回過ぎたのに着る気にならなかった服は、確実にもう処分するべき時が来たのです。

なぜこれらの服がすでにお役目が終わったのか理解すれば、あなたも納得出来るでしょう。家を飾りつけるのと同じように、色、素材、デザインなど、自分のエネルギーのバイブレーションに見合ったものを私たちは選びます。人は、人生の中である特定の色の時期を過ごすのです。何年か前の私はワードローブのほとんどが紫で、それに緑と青、そしてトルコ色がほんの少し。でもお気に入りは何と言っても紫、という時期がありました。バリ島に私を訪ねてきた友人が、外にかかっていた紫一色の洗濯物のおかげでうちを見つけたということもあったほどです！

当時の私は、オーラに紫をたくさん蓄《たくわ》えている最中でした。この色は自分の力と成功の修復をはかってくれるのです。色をすっかり取りこんだ今となっては、ほとんどこの色を身につけることはありません。ほとんどの人たちはタンスの中に、買ってから一度着たきりという服を持っています。

このようなことが起きる理由を説明しましょう。

あなたが買い物に出かけてある服に目をとめたとします。それがオレンジの地に紫の水玉模様だったとしましょう。試着して素晴らしく似合ったので（あなたの目にはそう見えたのです）、買って帰りました。誰にでも精神的にバランスの悪い日があり、そんな時はオーラもオレンジ地に紫水玉、あるいはその服と似通った色合いになっているため、似合うように感じるのです。でも次の日になると精神的にも落ちつき、オーラの色ももとに戻ります。そして服はなぜかあまり似合わないように感じるのです（もともと誰にも似合わない色だったのです！）。

あなたは次に着る機会を待っているのですが、通常の場合（幸いなことに）あの感覚はもう戻ってくることはありません。大切なのは、精神状態が良くない時にショッピングに出かけないことです。

嫌な気分を紛《まぎ》らわすために出かけるショッピングは、必ず二度と着ないものを衝動買いすることになるでしょう。

きつくなって着ることが出来なくなった服を、再び痩《や》せる日までと大事に保管する人もいます。でもその望みが実現することは、ほとんどありません。もしあなたもそうならば、あなた自身のためにデニス・リンのアドバイスを受け入れてください。これまで私が大勢の人に伝えて、素晴らしい反響を得たアドバイスです。もう着られなくなった服を捨てて、今のあなたの、心と体を引きたててくれるような服を買ってください。そうすれば、どんなことが起きるでしょう?

あなたは自然に体重が減るのです。ひねくれものの法則とでも何とでも、好きに呼んでください。あなたが太っていることを否定するのをやめたから、自然に体重が元通りになったのです。いつか痩せたら自分を好きになろうという代わりに、今のままの自分を好きになる決心をしたからです。否定に固執していたあなたが、否定をやめると固執も消えるのです!

バスルーム

私がこれまでに見たバスルームの中には、雑貨や化粧品、洗面用具が山積みとなっているところもありました。これらのものが棚、窓の枠、水洗トイレのタンクの上、お風呂の縁、洗面台の横、床などあらゆるところに置いてあるのです。これらのものがあるおかげで、本来ならば清涼で平和であるべきこの場所が、エネルギーが混雑して埃《ほこり》が溜まりやすくなっています。きれいに整頓されたバスルームを保っている人たちは、もっとも瞑想に適しているのは（そして歌うのにも適しているのは！）湯舟やシャワーの中だと言います。もっとも良い方法は、収容棚を設置して中をすっきりと片付けることです。

車庫、駐車場、そして車

車庫と駐車場はいらないものを溜めこむ人にとっては、こたえられない場所です。昔の車の部品とか、もう使っていない家具の一部とか、箱に詰まった邪魔なものなど、家の中には入りきらないものでいっぱいになっているでしょう。重症の溜めこみ癖のある人なら、これらの一銭にもならないガラクタを雨や風から守るために、高価な車を外に停めておいても平気でしょう。私が知っているある一家は、「ガラクタ」を保管する場所が足りないといって、車庫が一台分の家から二台分ある家に引っ越したのです！

車庫を倉庫代わりに使うのはかまいません。でも保管するのはあなたが気に入っていて、使うものだけです。よく整頓された、きれいな車庫は気持ちの良い空間になります。

車

車の中の状態は、持ち主の溜めこみ癖がどのような状態にあるかを正直に物語っています。

あなたが家をきれいにしたのに、車の中は膝までゴミでいっぱいという状態ならば、まだやらなければならない仕事が残っています！

あなたの車は、一つの小さな世界です。あなたが突然誰かを乗せてあげることになった時、散らかっているものを押しのけながら謝らなければなりませんか？　週に何回くらい、「そろそろ車をきれいにしないとなあ」と考えますか？　あなたがこう思うたびにエネルギーのレベルが下がり、結果的にはあなたが腕まくりをして車をきれいにする以上のエネルギーを消費していることになるのです。きれいになった車がどれほど気持ち良いものか、わかっているではありませんか。自分に贈り物をするつもりでやりましょう！

持ち運びの出来る「ガラクタ」

ここで指しているのは、ハンドバッグ、ショルダーバッグ、ブリーフケース、パンツのポケットなどのことです。さて、万が一あなたが私の書いてあることを真剣に受けとめておらず、私が単にあれこれ他人に口出ししたくて本を書いたと思っているとしたら、次のことを良く読んでください。数日前私が友人宅を訪れると、二人の二歳になる娘が私のハンドバッグの中身を点検する遊びを始めました。おとうさんとおかあさんがニコニコしながら見つめる中、バッグの中身がひとつひとつ取り出されていきます。どうやらこの女の子は来客が来るたびにこれをやっているらしく、数多くの女性たちを大慌《おおあわ》てさせてきたのでした。ハラハラする代わりに、ニコニコしながら見守る気持ちがどれほど心地よかったか、ここで強調しておきたいと思います。この子の両親は私に謝るつもりだったらしいのですが、その代わりにこんなにきれいに整頓されたバッグは初めて見たと賞賛してくれました。

もちろん、いつも完璧な状態にしているわけではありません。でも私は行く先々にゴミを抱えていくつもりはないので、服を定期的に洗濯するように、バッグの中身の定期的な点検するのが習慣となっているのです。

海外の事情

いらないものを溜めておく場所は、国によって違います。例えばオーストラリアでは、車庫や倉庫は家の地下に作るのが一般的で、人々はそこにいらないものを詰め込みます。英国人にとっては屋根裏と地下室がお気に入りの場所のようです。

アイルランドでは家の裏にある小屋など。そしてアメリカ人は、ありとあらゆる場所に溜めこむようです。

第十章　収集癖

ほとんどの人は、何かを収集しています。ごく一般的なものでは指ぬき、ティー・スプーン、マッチ箱、テレフォンカード、コースター、切手など。もう少しエキセントリックなものでは昔のポップスターのグッズ、アンティックのパイプ、ミシンの部品、猫のひげなど（実際に、これを集めている人に会ったことがあるのです）。他にも国を問わず人気があるのは、動物をテーマにした装飾品類です。猫、犬、カエルやアヒルなど一般的なものから、カンガルーやコアラなど特定の国にいるもの、もっとエキゾチックな趣味の人はゾウやトラ、ドラゴンなど。

マントルピースの上に、可愛い仔猫の置物が二、三個あるのは悪くありません。でもコレクションは、時にはきりがなくなります。気がついたらどの部屋も猫の置物でいっぱい、どの壁にも猫の絵がかかり、布巾も、Tシャツも、クッションも、コーヒーカップも猫の模様ということになりかねません。ある時アイルランドの南部で開いた講習で、この話をしたことがありました。しばらくすると、一番前に座っていた女性が黙っていることが出来なくなり、皆の前で家にはカエルの装飾品が二千点以上もあることを語り始めたのです。

「うちの玄関のドアでさえ、巨大なカエルが彫りこんであるんです！」彼女は悲哀たっぷりに告白し、聴衆は爆笑の渦になったのでした。

なぜ人々はものを収集するのか

では、なぜ私たちはそんなことをするのでしょう? 中にはコレクションを始めたのは、子供の時だったという人もいます。友人や親戚からもらったものが、始まりだったという人もいます。きっかけが何であれ、私たちが何かを集めたいと思うのは、それが「たまたま偶然」であっても、実は自分の成長のために何かを欲している本能のなせる技なのです。

その時に自分が必要としている波動ですから、否定する必要はありません。でも人生は常に変化していて、それらの集めたものは、本質を自分のエネルギーの中に取り込み終われば用済みなのです。そしてもう何か新しいことを始めて良いのです。

例えば動物の持つ本質についていえば、アメリカの原住民たちは豊かな知識を持っていました。どの人にも必ず動物のトーテムがあり、それはお守りであると同時に力と知恵の源でもありました。部族の人々は「白い鷹」「踊る熊」というような名前を持ち、その動物が持つパワーを身近に感じて一生を過ごすのです。でも時代は変わりました。昔は英国で人に「鍛冶屋のジャック」や「漁師のジョン」というような職業を現す名前をつけていました(それが後にジャック・スミスやジョン・フィッシャーになったのです)。でも現在の変化が激しい社会でそれをやろうとすれば、「元コンピュータ・プログラマーがタクシー運転手になり、それから有機農業のお百姓になって作家になったリチャード」というようになるでしょう。ほとんどの人たちは生涯に一つ以上の職業を体験し、時には数回の結婚や同棲を体験することも珍しくはありません。まるで一度に何度も違う生涯を送っているかのようです。

現実にこのような状態が起きている理由は、見えないエネルギーの世界のためです。デニス・リンはこれを「波長値」の増加と呼びましたが、これはエネルギーのバイブレーションを指しています。これが早くなればなるほど、人間として可能な限り高い状態に到達することが出来ます。限りない可能性を秘めた世界が外で待っているのに、カエルのコレクションに足をとられている場合ではないのです！

ブタを作った男

私の知っている男性は、ある時期ブタを作るのに夢中になりました。きっかけは、母親が雑貨屋さんで買ってきた石膏《せっこう》のブタをとても気に入り、型をとって複製を作ったことから始まったのです。彼はそのうち石膏のブタから、色づけした陶器のブタにと進化していきました。翼をつけたらもっと面白いかもとアドバイスした人がいて、空飛ぶブタが生まれました。彼はそのうちロンドンのお洒落なコベンド・ガーデンで屋台を借り、何千匹もの空飛ぶブタを売りました。色々なサイズを作り、人々はそれをセットで買って壁につるしたりしたのです。クリスマスには、特別なヴァージョンとして眠っているブタたちを作りました。当時を振りかえって彼は、ブタを作ることにはまったのには、何か理由があると感じていたと言います。でも彼のブタへの情熱の行き先を捜し当てるまでに、十六年の歳月を要しました。そして彼は母方のおじいさんと、曾《ひい》おじいさんが二人ともブタ肉屋だったことを知ったのです！　彼が作ったおよそ合計三万二千匹のブタは、彼の祖先が一生のうちに屠《ほふ》ったブタの数とおおよそ一致していたと見積りました。彼は自分のカルマのバランスがとれたことに満足を感じ、新しいこと、指圧師としての修業を始めたのです！

あひるおばさん

ある時私が風水のコンサルタントをした女性の家に案内されると、ざっと見渡して百匹以上のあひるが置いてありました。「このあひるたちは、どうしたのですか？」とたずねると、彼女は不思議そうにこちらを見つめました。「どのあひるのことですか？」と彼女は訊《き》き返します。私たちはもう一度家の中を歩き回り、私がいちいちあひるを指差すと、彼女はとても衝撃をうけました。壁紙、クッション、バスルームの飾り、ガウンの刺繍、キッチン雑貨など、あらゆるところにあひるがいました。そこはまさしくあひるの王国でしたが、彼女は全く意識をしていなかったのです。さらに興味深かったのは、どのあひるもつがいではなく一匹だけだったことでした。彼女は一度も結婚をしたことがない女性だったのです。長い話を短くまとめますと、彼女は私のアドバイスにしたがってあひるたちを処分し、恋人を見つけたのです！

収集癖に溺れないように

コレクションを理解するコツは、なぜ自分がそれを集めたのか、その意味を理解して人生の次のステージへと向かうことです。自分で自分を束縛してはいけません。あなたの人生に新しいものが入りこむ隙間を作ってください。なぜ集めているのか理由もわからないのに、コレクション・マニアで一生過ごさないよう気をつけてください。

集めているのが動物のテーマだったら、なぜその動物を自分が選んだのかはメディシン・カードなど動物の絵がついたタロット・カードで判明します。それを見れば、あなたが潜在的に自分に必要としていた要素が何だったのかわかります。あなたがこの情報を消化して、心の底からコレクションを保管する必要を感じなくなるまでには、かなりの時間が必要でしょう。たとえ心の準備が出来たとしても、全てのあひるを一度に処分するのは難しいかもしれません。無理にそれを実行するのではなく、自分の気持ちに沿って自然に行なうことが大切です。その気になった時に、少しずつあなたの群れを削っていけば良いのです。

第十一章　紙の「ガラクタ」

紙はなぜこんなに魅力的なのでしょう？　コンピューター時代に突入すれば、紙の消費量が減るだろうと予測されていたのに、現在私たちは過去になかったほど大量の紙を消費しています。もっとも手ごわいこの分野を処理するのに、いくつかの方法をあげました。

本

学究心の強い人にとって、古い本の保存は悩みの種です。本はかけがえのない友だと感じる人も大勢います。あなたが知識、インスピレーション、楽しみ、そして疑問の答えを求める時、本はいつもそこにいてくれます。

でも古い本を保管し続けることの問題は、人生に新しいアイディアや考え方が入ってこなくなることです。蔵書は、持ち主のアイディアや信念を象徴しています。古い本が大量に本棚を占領していると、あなたは段々新しいことにチャレンジをしなくなり、まわりの本と同じようにかび臭いエネルギーを発するようになってしまうのです。

高学歴なのに配偶者が見つからないという人の家にカウンセリングで呼ばれると、大概の場合恋愛を司る位置に、古い蔵書がぎっしり詰まった大きな本棚が置いてあります。風水のことを何も知らずに、彼らが本をそこに置いたのは、「何となくそこが良いと思ったから」。その理由は、彼らがもっとも大切な関係を持っている相手は本だからなのです！ このような人たちは、ベッドの横にも、寝る前の読書のために本の山が積み重なっています。

これも、恋愛関係の代わりなのです。本棚を移動させることで、あるいはせめて本棚に少し隙間を作ることで、人生に新しい興味や人間関係が入りこんでくるようになるでしょう。

もしかすると本の量が多すぎて、とっくに本棚からはみ出して他の場所も占領しているかもしれません。あなたの机の上や、コーヒーテーブルの上、お気に入りの椅子の横、バスルームなどに積み重なってはいませんか？

時が来たら、本を処分することを学んでください。使ったことのない料理の本から手始めにやりましょう（開いてレシピを確かめてはいけません！）。次にもう何年も手にしていない参考書や資料、もうあなたも子供も見ることがなくなった児童書、結局読み終えなかった小説、あなたが共感しなかった仮説を主張している本など。また手が届かない場所にしまってあって何十年も触れていない本、年月とともに内容が古くなった本も処分しましょう。次に、過去に大きな影響を受けたものの、その内容がすでに自分の血肉になっているため特に必要としなくなった本を。今のあなた、そして目指す将来の自分を象徴するような本だけを残してください。それとよく使う資料、心から好きな本を残して、あとは処分してしまいましょう。

あとで読みたくなった時のことが心配ならば、地元の図書館に寄付をするのが一番良いでしょう。必要になったら、いつでもまた借りることが出来ると思えば気が楽になります。そうすることによって本はあなたの本棚と運勢を滞らせている代わりに、誰か他の人の役に立つのです。大変興味深いことに、地元の図書館に本を寄付しても、再び借りたいと思うことはごくまれです。それを処理したとたんに、何か新しいことに興味が移って古いもののことは忘れてしまうのです。あるいは古本屋に売っても良いでしょう。いらないものを整理すると同時に、お小遣いを稼ぐのです。

雑誌、新聞、切り取った記事類

私が訪ねたある家は、一つの部屋が航空関係の雑誌で埋まっていました。持ち主はこのコレクションを完璧なものにするために、どの号がないかを確かめようと二十年間そのままにしておいたのです。なぜこのコレクションを完璧にしたいのですかと聞くと、持ち主はポカンとして黙り込みました。そもそもなぜそれが欲しかったのか、思い出すのに長い時間が必要だったのです。何に使うのかではなく、集めることそのものが目的になっていたのでしょう。集めることをやめても良いと自分に許可した彼は、私に手紙を書いてきました。

雑誌をまとめてリサイクルのゴミに出した時は気分がすっきりし、余分な部屋が一つ空いて友人を招くことが出来るようになったのは素晴らしいことです、とそれには書いてあったのです。

もう一人の顧客の書斎は、新聞と雑誌の下に埋もれていました。彼女はいつか読みたくなる記事があるかもしれないというので、それを保存していたのです。それ以外にも机の横には、いつか整理をするための記事の切り抜きが三つの山になっておりました。この山を捨てたらどうですか、と私がきりだすと、彼女の目にはパニックの色が浮かびました。

まるでそれが命に関わる行為であるかのようにです！　二人で一緒にその山を客観的に見てみました。彼女は心の底から、自分にとってかけがえのない記事を捨ててしまうことを恐れていたのです。これは「いつの日か、必要になることがあるかもしれない」シンドロームの一種で、運命は必要な時になっても必要なものを運んできてはくれないという、恐れからくるものでした。

一生、毎日何かを学んでいたいと望むのは素晴らしいことです。でも今日の私たちは情報の山に埋もれていて、自分でそれをふるいにかけなければなりません。あなたが記事を切り抜きたいのなら、それ専用のファイルを作って常に中身を新鮮にしておきましょう。

定期的に中身をチェックして、いらなくなった情報を捨てていくのです。もしファイルに分けなければならない切り抜きの山があるのなら、締め切りを決めて（月末までというように）それまでにファイルしきれなかったら、ゴミ箱行きにしてしまいましょう。雑誌を読み終わったら、執着してはいけません。目を通してから、病院、歯科医、老人ホーム、学校など公共施設に寄付するか、親戚、友人、同僚などそれをまだ読んでいない人にあげる、そうでなければ単純にリサイクルにまわしましょう。

私はこの顧客に、生きているうちにやってみたいけれども、半端にしていることが妨げになって実現出来ないことを長いリストにするよう勧めました。他にもやりたいことがたくさんあることに気がついた彼女は視点が変わり、最も新しい雑誌の山だけを残して、ほかを捨てることが苦痛ではなくなったのです。私が次に会ったとき、彼女の変化は驚くほどでした。彼女のまわりに漂っていた憂鬱そうな雰囲気は消え去り、目の下のたるみさえなくなり、とても生き生きとした快活な女性になっていたのです。彼女は新聞や雑誌の切り抜きにとどまらず、書斎全体を、そして家全体を整理整頓したのでした。それによって彼女の人生に、新たなエネルギーが吹き込まれたのです。

センチメンタルな思い出の品

私のもとに届く手紙の中でももっとも心のこもったものは、気立ての優しい、センチメンタルな思い出の品を大切にする人々からのものでした。中でも私が気にいってるのは、次のものです。

私は南アフリカに住んでいて、あなたが書いた聖なるスペースを創るという素晴らしい本を読み終えたばかりです。私の家のエネルギーを最高に活用する機会を設け、人生を楽しくしてくださったあなたに、どのようなお礼の言葉を述べて良いのかわかりません。あなたが書いてあることはいちいち私の琴線《きんせん》にふれ、今までどれほどものに執着をしていたかを気付かせてくれました。私は最近、三十年間かけて溜めたガラクタをたくさん捨てました。古いラブレター、古い写真など、なぜ今まで取っておいたのかわからないようなものを。その結果、私はとても気分が良くなりました。身軽になった気持ちです。あなたが真実の知恵を見つけられ、それを人々に知らせてくれたことを神様が祝福してくれますように。

このカテゴリーに含まれるのは結婚式の思い出の品々、何年も前に友人から送られたクリスマス・カードや誕生日カード、友達から来た絵葉書、自分でつけた日記、子供が二十年前に描いたクレヨン画の名作など。あなたが歳を重ねれば重ねるほど、それは増えていくばかりです。眺めることなどめったにありませんが、ただ保管してあると思うだけで満足なのです。

私のアドバイスですか？　本当に大切なものだけを残して、あとは捨てましょう！　あなたが本当に好きで、良い思い出しかないものだけをとっておいてください。捨てることに罪の意識を感じて義務感からとっておいたもの、またアンビバレントな感情が湧きあがるもの、多すぎるものは処分しましょう。

私が知り合ったある女性は、引き出し何段分も古いクリスマス・カードと誕生日カードでいっぱいになっていて、これらには思い出があるからとても捨てることは出来ないと思い込んでいました。ですが実際に彼女がそれを手にとって読み始めると、彼女は幸福だった日々を思い出してどんどん悲しくなっていきました。これらを処分する決意をした彼女は、人生を新たに立てなおす決心をしました。

それまでの孤独な人生に別れを告げて、自分が常々憧れていた社交的な人間に生まれ変わったのです。

あなたが思い出の品を溜めこむ人だったら、おそらく一回では整理がつかないでしょう。しばらくしたら、もう一度それらを見直してさらにより分ける必要があります。これは持続してやっていかなければならないことで、最初はとても無理だと感じるかもしれませんが、実行するにつれてどんどん楽になっていくでしょう。

写真

おたくには写真でいっぱいになった引き出しがありますか？　写真は、まだ新しいうちに楽しんでください。コラージュを作ったり、壁に飾ったり、お財布に保存したり、ノートに貼りつけたり、絵葉書にして友達に送ったりしましょう。それの発するエネルギーが新鮮なうちに、最大限に活用しましょう。過去のつらかった時期を思い出させるような写真をとっておいてはいけません。楽しかった時の思い出だけを残して、あとは処分してください。何かもっと新しい、楽しいことのために引き出しのスペースを空《あ》けましょう。

机をきれいにする

あなたが家で仕事をしている、あるいは家にも仕事用の机がある人だったら、このセクションはあなたのためのものです。最初のステップは単純な計算です。あなたの机の表面の、何パーセントくらいが見えていますか？　計算をする前に机の上を片付けて、ズルをしてはいけません。ありのままを計算して、現状を直視しましょう。

私は年にコンサルタントとして何百という机を目にします。職場用と自宅用の両方見てきましたが、共通しているのはその上で仕事をするスペースがほとんどないということです！　通常の場合、紙一枚がようやく乗るくらいの余裕があり、あとは機材やいつか処理する書類で埋まっているのです。

机の上を片付けましょう！　デクラン・トレーシーという人が、まさにこの通りのタイトルの素晴らしい本を執筆し、世界でもっとも成功している企業家を何人か紹介して彼らの机には最低限の書類しか乗っていないことを書いています。机の上が整理されているのは、頭の中が整理されていること。整理された頭には、ヴィジョンと展望が開けます。あなたが書類に埋もれていたら、人生になかなか進歩が訪れないでしょう。

きれいな机で仕事をすると、能率が上がり、アイディアがひらめき、仕事に充実感が生まれます。いつも仕事を終えた時、机の上をきれいにするのはとても良い習慣です。仕事を始めるときにうんざりするような書類の山から始めるのと、すっきりした机から始めるのとでは精神的に全然違います。

早速今から机の上においてある、未処理の書類を全部、そして本当に必要ではないものを全て取り除きましょう。本当に必要なものとは、コンピュータ、電話、ペン、ノートなどのことです。その他のもの、ホチキス、ホールパンチャー、クリップ、玩具類、お菓子の袋などは近くの棚か、引き出しの中へどうぞ。

ディスクを整理する

エレクトロニック系の「ガラクタ」は、目の前に積んである「ガラクタ」と同じくらい厄介です。いらなくなったプログラムや文書はディスクがいっぱいになるまで待たないで、毎日少しずつ整理しましょう。ファイルを調べてハードディスクにたまっている古くなったものを削除するか、順番にディスクにコピーしていきましょう。もし必要ならば、コンピューターの中のファイルシステムを整理しなおしましょう。

書類を溜めないいくつかの秘訣

＊不必要な書類は出来るだけ早く捨てるか、リサイクルにまわす習慣をつけましょう。

＊メモは絶対にその辺の紙切れに書かないこと。必ずいつも同じノートに書いて、必要なものだけ後でファイル・システムの中に移しましょう。

＊掲示板は、常に内容を新しくしておきましょう。その日やらなければならないことを忘れないように書き付けるのは、日記かカレンダーにしましょう。「ポストイット」は頭の中をゴチャゴチャにさせ、かえってやることを忘れてしまうものです！　忘れないように自分へ書いたメモが多すぎると、エネルギーが放散してしまいます。

＊支払い関係の書類は、常にちゃんと管理しておきましょう。これを意識していると、していないよりも貯蓄をする可能性が高くなります。請求書は期限までに支払い、すぐに見つかるところにファイルをし、請求書が来るたびにあなたはつけがきく身分であることを喜びましょう！　支払いをする時にストレスを感じる代わりに、支払いを

受ける時と同じような喜びを見出すことが出来れば、人間が作り出したマネー・ゲームを楽しむ方法を見つけたということです。

＊手紙を受け取ったら、その文の下か空いているスペースに返事を書いて送り返しましょう。そうすればあなたのオフィスは紙で埋もれることもなくなるし、返事をわざわざタイプする時間と費用も節約出来ます。一週間もほったらかしにしておくこともなくなりますし、返事を受け取った相手は確かにあなた本人がすぐに読んでくれたことを確信するでしょう。

第十一章 その他の「ガラクタ」

「ガラクタ」の原因になるものには、様々な形やサイズがあります。これからあげるものは、どこの家でも戸棚の隅に潜んでいる「ガラクタ」です。

もう使わないもの

* 古くなったレジャー用品（あまり人気のなかったゲーム類、もう誰もやっていないスポーツの器具、興味がなくなった趣味関連のもの、子供が小さい頃使った玩具など）
* 二度と使わないハイファイ機材類（捨ててしまったステレオセットについていたスピーカーなど）
* 衝動買いして三日坊主に終わったエクササイズ用具
* 一時期流行《はや》った美容健康器具類（ホットカーラー、足の按摩器など）
* 度が合わなくなったメガネ類（寄付を受け付けるチャリティ団体もあります）
* 便利だと思って買ったけど、実際には不便だった道具類
* 風化しかけたガーデン用品（さびた芝刈り機、ぼろぼろになった野外用椅子子、古くな

った植木鉢など）

＊　いらなくなった車の付属品（ルーフラック、古いタイヤ、カバーのスペア）

これ以外にも、色々なものがあるでしょう。人々が家や庭の隅に置きっぱなしにしている奇妙なものの例をいちいちあげていってはきりがありません。あなたも自分で何かそのようなものを発見したときに、思わず笑ってしまうことでしょう。

子供時代の思い出の品で特別な愛着があるものは、これまで多くの人が試して成功した方法をお薦めします。それを写真に撮って、現物を処理するのです。写真を見るたびに子供時代の優しい思い出は甦るでしょうし、写真ならば現物よりもずっと少ない保存スペースですみます。

気に入らなかった貰いもの

これは多くの人々にとってとてもデリケートな問題でしょう。でも気に入らなかった貰いものに対して私がしてあげられる最高のアドバイスは、処分しなさいということです。その理由は、こうです。あなたが心から気に入っているものには、強い活発なエネルギーのバリアが存在しています。ところが気に入らなかった貰いものには、居心地の悪い、葛藤する気持ちのエネルギーが充満していて、あなた自身のエネルギーを浪費させます。ひいては家のエネルギーそのものも、陰鬱《いんうつ》なものにしてしまうのです。その品を厄介払いすることに、恐怖感すら感じる人もいるでしょう。「でもジェーン叔母さんが遊びに来て、彼女がくれた高価な置物がマントルピースの上に乗ってなかったらどうなるの?」と。でも一体、マントルピースの持ち主は誰なのでしょう? あなたが気にいったものなら構いません。でも恐怖心と義務感から保管しているのなら、あなたは自分のパワーを浪費しています。部屋に入ってそのものを目にするたびに、あなたのエネルギーレベルがガくんと落ちるのです。

この場合、見なければそれですむという考えは捨ててください。戸棚の中にしまいこみ、ジェーン叔母さんが遊びに来たときだけ出しておこうと考えても、それはいけません。あなたの潜在意識は、それがしまってあることをちゃんと覚えているのです。家の中にこのようなものが溜まってくると、あなたのエネルギーネットワークはザルのような状態になります。バイタリティが、どんどんと抜け落ちていくのです。

大切なのは気持ちだということを、忘れてはいけません。貰いものを保管せずに、もらったことを感謝する気持ちを保つことだって出来るのです。貰いものに対する、自分の哲学を変えてみましょう。あなたが何かを人にあげる時、そのものに愛情をたくさんこめて、同時に執着心を捨てましょう。受け取った人がそれをどのように処理するのかは、当人にまかせてください。相手にとってベストなのは、すぐに捨ててしまうことだったり、誰かにあげることだったりしても、それはそれで良いではありませんか（彼の家を、欲しくなかった貰いもので混雑状態にしたくないでしょう?）。他の人にこのような自由を与えることによって、あなた自身の生活にも自由が訪れるのです。

好きではないもの

自分で買ったものでも、手に入れたその日から実は気に入らなかったというものもあります。そんな時、人はもっと良い品を買うことが出来るまで、当座のしのぎに置いておくのが普通です。

例をあげましょう。私はアイロンをかけるのが好きだと思ったことはありません。家にあるのは、何の変哲もなく、かといって問題もない普通のアイロンですが、見ていて使いたいという気持ちにさせてくれませんでした。私はいつもアイロンをかけなくてすむようなものだけを着るように、心をくだいてきました。そんなある日、私は友人の家で「アイロンの女王」と呼ぶにふさわしい品を見つけました。それは家にある普通のアイロンの倍の値段がしそうでしたが、使うのがとても楽しそうです。これによって、アイロンをかけるという行為そのものに対する考えが変わりました。友人宅から帰ると、私はすぐにそれと同じアイロンを買いに出かけました。そして午後いっぱいかけて、楽しみながらたんすの端から洋服にアイロンをかけていったのです。生まれて初めて、アイロンかけが楽しいと思ったのでした。

自分に、当座しのぎのものを与えてはいけません。あなた自身に最高のものを与えていくと、他の分野でも最高のものが呼び寄せられてくるようになるのです。あなたが現在経済的に苦しくて、手持ちのもので間に合わせなければならない状況ならば、それらを出来るだけ大切にして感謝の気持ちを持ちましょう。そして将来的には、さらに意欲が湧くような品と取り替える収入を得るのだと自分に言い聞かせてください。本当にその気にさえなれば、これが驚くほど早く実現することを体験した人は大勢いるのです。

エネルギーレベルを落とす修理品

修理が必要なものは、エネルギー漏れの穴のようです。その理由は、あなたの所持品は全てあなたによって保護され、手入れをされているから。とりあえず放置しておくことにしても、あなたの潜在意識はそのことを忘れません。その品を目にしたり、思い出したりするたびに、エネルギーレベルが落ちるのです。

例えば、脚がぐらぐらしている椅子があったとしましょう。あなたはすでに、それがそこにあることすら忘れてしまっています。ところが潜在意識はちゃんと覚えています。部屋に入るたびにあなたの目はそれを見ていて、体のエネルギーはそれに反応しているのです。自分である時期までに修理をしようと決めたのに実行をしなかった場合は、体からさらに多くのパワーとバイタリティが抜けていってしまいます。

私の知人の女性は大きな家に住んでいて、その中にあるもののほとんどは、修理が必要な状態でした。少ない収入をやりくりして子供を育てている人でしたが、才能豊かな彼女はものを直すことくらいやろうと思えば出来るはずでした。彼女が家を尊重せずに放置していたことは、そのまま彼女が自分を尊重していないことを意味します。

あなたが家をちゃんと世話してあげることは、あなた自身を大切にして愛していることになるのです。

家のものを修理したり改善したりすることは、あなた自身への投資だと思ってください。修理をするほどの値打ちがないと思うものは、さっさと捨てるか、あるいはそれを直してでも使ってくれる知人にあげてしまいましょう。

ダブル・トラブル

ある時、溜め込み癖のある女性の相談を受けたことがあります。彼女の亡くなった両親はさらに重症の溜め込み癖があり、生涯かかって溜めこんだ所持品を全て彼女に残したのでした。彼女はヤカンも包丁セットもそれぞれ二個づつ、食器類も全て二家族セット分、家の中に詰め込まれ、中には三つも四つもあるものもありました。そして、家はもので満タン状態でした。家はすっかりエネルギーが滞って、彼女がダンボール箱に詰まった家の雑貨用品類を整理しようと四苦八苦しているあいだ、彼女の人生はすっかり停滞してしまいました。

あなたの戸棚を開けて、それぞれの道具がいくつずつあるのか数えてみましょう。スペースが充分にあるのなら、別に構いません。でもそうでないのなら、ものを減らしていきましょう。

相続した「ガラクタ」

あなたにそれを残してくれた人は、今では霊的存在になりましたので、物質には執着がなくなっているはずです！　あなたがそれを処分しなければならないとしても、理解をしてくれるでしょう。あなたがそれを気に入らなかったら、あるいは使うことがなかったら、誰か他の人にあなたから相続してもらいましょう。

オーディオ、ビデオ関係の「ガラクタ」

本については、すでにもうふれました。でも中には一番ものが溜まるのはオーディオやビデオ関係だという人もいるでしょう。二度と聞くことのないレコードでいっぱいになった棚を目にしたことがあります。持ち主のレコードプレイヤーはもう何年も壊れてしまったというのに！　またあるうちでは、増殖したのはカセットテープ、CD―ROMS、ビデオなどでした。

最近、カセットテープがキッチンのカウンターいっぱいに並んでいる女性のカウンセリングをしたことがあります。「過去十年間で、この中の何本のテープを聞きました？　正直に考えてみてください」と私は彼女に聞きました。

「だいたい、五十％くらいです」と彼女。

「では半分を処分して、カウンターのスペースがその分広く使えるということですよね？」

「素晴らしいわ！」と彼女は言いました。「では早速半分を、屋根裏に移してしまいましょう！」

もちろん、私はそんなつもりで言ったのではありません！　この十年間一度も聞かなかったカセットテープなら、あと十年屋根裏に保存しておく必要はどこにもないと彼女に納得させるのに、しばらく時間がかかりました。そして本当にいらないものかどうか、テープ一本一本の内容をチェックするという、実行不可能なことをする必要もないことを納得してもらいました！　ただ、処分をすれば良いだけなのです。

今までの人生で、ものすごく気に入って何度も繰り返し聞いたあげく、まわりの人たちから頼むから二度とかけないでくれと言われた曲はありませんか？　ほとんどの場合、あなた自身もその曲に飽きる時が来るものです。時々はまた聞きたくなるかもしれませんが、前のように近所に響き渡るような音で一日十回かけるなんてことはもうありません。それは、あなたがこのメロディから吸収できる養分を吸い取りきったということなのです。

クラシック音楽の名作といわれる音楽が、長い間人気が衰えないのはこのような理由からです。このような名作は、時代や空間を超えて人々に栄養を与え続けるエッセンスに満ちています。一方現代のポップスは、そこまで長持ちすることはごくまれです。長持ちするものは、私たちが「ゴールデン・オールディーズ」と呼んでいるのです。

これを頭に入れて、あなたのコレクションを見直してみましょう。ごく短期間のあいだにエッセンスを吸い取りきってしまったものもあれば、最初から何も特別なものを感じなかったものもあるでしょう。ほとんど聞いていなかったものは、処分することは容易です。あなたがいつも聞いて楽しんでいる、個人の「ゴールデン・オールディーズ」と、まだ新鮮なエネルギーを与えてくれる音楽だけを残してください。そして残りは、処分しましょう。

他のオーディオ関係、ビデオ関係のものも同じです。ベストなものだけ保存して、残りは処分。そしてこれを忘れないように。あなたが過去二年、あるいは五年、十年、そうでなければ自分で適当だと思った年月で見たり聞いたりしなかったものならば、捨てる前に本当にいらないかどうか内容をいちいちチェックする必要はありません！

これまでの歳月一度も使わなかったのに、あなたの人生はちゃんと機能していたのです。

謎の物体

特にガラクタを入れておく引き出しには、誰でもこのような品があります。例えばつい使うことがなかった組み立て家具の部品、落ちていたけれどどこから来たのかよくわからないゴムの部品など。これらは全て、処分して良いものの筆頭にあげることが出来ます。

箱、箱……

以前うちに来た運送屋さんが、身を屈めて大きな箱を持ち上げた時の顔が忘れられません。

その朝彼が持ち上げてきた他の箱と同じように重いだろうと予想していたのに、勢い余ってよろめいてしまったのです。当時は私もまだ密かに、空の箱をとっておいたのです！私は蟹座生まれで、われわれカニ族は箱にとてつもない安心感をおぼえるのです。時にはもらったプレゼントそのものよりも、箱のほうが気に入ってしまうことすらあります！

でもこれはとてもスペース的に高くつく趣味です。それに風水に従って言うと、「空き箱」のエネルギーを家の中に保存しておくのは良いことではありません。それらは周辺のエネルギーの勢いを失わせ、あなた自身にも影響を与えます。今では私も箱の数をぐっと減らして空のままとっておくのではなく、可能な限り有効に使うようにしています。

新しい家電用品を購入したら、箱は保証期間だけ保存しておいて、それが過ぎたら捨てましょう。「万が一」引っ越す時のために箱を永久にとっておくのは、やめてください。もし本当に引っ越すことになっても、運送用の普通のダンボールに家電用品をつめるのはごく簡単なことです。もう一つ、箱を保存する良い方法は、分解して平らにしてしまうことです。スペースもかなり節約出来ますし、何より「空の」エネルギーがなくなるからです！

第十三章　大物たち

「ガラクタ」をやっつけにかかる時、大物たちを忘れてはいけません。いつも目障《めざわ》りだった古いサイドボード、リビングルームを占領しているグランドピアノ、ほとんど使わなかったウォーター・ベッド、裏庭でさびかかっている中古車、部屋の隅でほこりに埋もれている伸び放題の植木など。

この中にはあまりにも巨大で動かすことが面倒なので、いつの間にかあなたはその存在を無視し、それを透《す》かしてものを見る習慣がついたものもあるでしょう。

あなたは無意識に無視出来るかもしれません。でもそのものが大きければ大きいほどまわりに滞るエネルギーもまた巨大です。

ですからすぐに処分をするのはとても大切なこと。

その存在が、あなたの人生を停滞させるシンボルの役割を果たしているのなら、尚更です。

庭の、成功を司る部分でさびついている車は、あなたの経済状態を確実に悪化させます。仕事を司る部分でぐったりしている植木は、あなたをいつも疲れさせ、仕事や人生に対する意欲を失わせます。

住居の中にある、役に立たない家具はどれもあなたの人生に障害をもたらすのです。あなたが大物の「ガラクタ」を集めたのではなく、家が今ある家具を納めるには小さすぎるのかもしれません。あるいはいずれ広いところに引っ越すつもりで、家具を買い揃えたり、人からもらったりしたのかもしれません。

このような場合には、あなたは現実的な判断をして家財道具の減量を始めなければなりません。家が家具で満杯で、人間のためのスペースが残っていない場合、あなたは人生で自分が出来ることには限界があると感じているでしょう。

空間に余裕を持たせることによって、あなたの人生には新たな可能性が舞い込んでくるのです。

地元の新聞の告知板、あるいは職業別電話帳を手にしてゆっくり座りましょう。このいらない大物たちを引き取りに来て、時にはお金さえ払ってくれる相手がきっと見つかるはずです。それが駄目なら、あなたの住んでいる地方自治体にお金を払って引き取ってもらうか、あるいは家族や友人の手を借りてゴミ処理場に持っていかなければならないかもしれません。

でもそれが無くなってみると、今までなぜあんなに窮屈な思いをしていたのか驚くと同時に、新しい環境に心から喜びを感じることでしょう！

第十四章 他の人たちの「ガラクタ」

家族や友人、同僚などいつもなら気のおけない間柄の相手でも、いったんあなたが彼らの「ガラクタ」に手をつけようものなら、たちまち火花が飛び散ることがあるかもしれません！　私がよく聞かれる質問に、他の人たち、特に同居人の「ガラクタ」をどうすれば良いのか、というものがあります。

パートナーが溜めこんだ「ガラクタ」

あなたがパートナーに彼の「ガラクタ」の話をすると、二人の間に長いこと横たわっていた問題を表面化させる場合があります。ガミガミ言ったり、口論したり、脅《おど》したり、最終通告などは、溜め込み癖のある相手をますます意固地にさせるだけ。そして直接頼まれない限り、絶対に相手の「ガラクタ」を勝手に片付けたりしてはいけません。人々は「ガラクタ」に深い執着を持っていて、それが他人の手によって乱されると怒りを感じるのです。

他者を変えることは決して出来ないことを、悟りましょう。あなたが変えることが出来るのは、あなた自身だけです。長年この講習をしてきて、他の人たちの「ガラクタ」に関して有効なのは、これからあげる二つだけだということがわかりました。

教育

人が「ガラクタ」を片付けようという気になるためには、それがどれほど悪影響を与えているのか理解しなければなりません。私の講習に参加した人が数ヶ月後にはパートナーを伴って再び戻ってくるのは、そのためなのです。私が本書を著《あらわ》した理由のひとつは、いちいち私の講習に引っ張ってくることなく、出来るだけ多くのパートナーたちにこのメッセージを広めたいからです!

手本を見せる

大勢の人々の証言によりますと、彼女たちがいらないものを整理し始めると同時に、特に薦《すす》めもしなくても家族や親しい友人たちも整理を始めることがあります。ほとんどの場合、本人は相手にこの話をしたことさえなかったそうです。遠くに住んでいても、なぜか波長のあう人々にメッセージが届いていたのです。

私の本を読んで熱心に整理整頓を始めたという読者から、とても印象深い話を聞きました。彼女はこの作業にたっぷり二週間を費やしました。その間に、三〇〇キロ離れたところに住んでいて、しばらく疎遠になっていた彼女のお祖父さんは、突如四十年分の「ガラクタ」を庭の小屋からきれいに片付け始めて家族の者たちを驚かせたといいます。

もうひとりは、ロンドンで週末に行った私の講習を受けた女性でした。彼女がこのクラスに座っていた間に、彼女の夫は発作的に大掃除を開始して、車で六回分のゴミを捨てに行っていたのです。

私が最初にスペース・クリアリングを師事したジーマ・マッシーが、ある時パートナーの「ガラクタ」について素晴らしいアドバイスをくれました。彼女は当然のごとく無駄のないきちんと整頓された生活をしていましたが、そのうち彼女の夫の汚れた机の上が気になってきました。それは彼女の暮らしの一部でもありましたから、彼女自身の何かを反映させているのだろうという気はしたのですが、何が原因なのか思い当たることはありません。

でもある日、その理由がわかったのです。彼女の夫は物質的には整理整頓が悪くても、頭の中はいつもきっちり整理されている人でした。その反面、彼女は物質面ではいつもすっきりしていましたが、頭の中はいつもゴチャゴチャだったのです。それから何が起きたでしょう？　彼女がそのことに気がついて、精神的にも整理整頓をするよう心がけ始めたとほぼ同時に、彼女の夫はいい加減に机をきれいにする時期が来たと考えて整理を始め、それからずっときれいにしていたのでした！

子供の「ガラクタ」

一体どこからやって来るのでしょう？　子供の散らかすものはあっと言う間に広がり、注意をしていないと驚異的な速さで家中を侵略してしまいます。

子供にとって一番大切なのは、自信を持たせてあげることです。子供が愛されていると感じ、精神的に安定していて幸せだと、あまり「もの」に執着をすることはありません。

小さいうちからいらないものを溜めこまないよう気をつけさせれば、将来苦労をすることもないでしょう。

自分で散らかしたものは、自分で片付けさせましょう。新しい玩具を買ったら、その保管場所を子供と一緒に決めて、子供が自分でしまうことが出来るようにしましょう。定期的にもう使わなくなった玩具を整理させて、どれをとっておいてどれを捨てるのか決めさせましょう。でも最終的には、本人に決定させてあげてください。あなたから見ればとっくに用済みで天国へ行ってしまったようなものでも、子供にとっては大切な意味があり、まだまだ使う価値があることだってあるのです。

あなたの子供が大人の言うことをちっとも聞かなかったら、子供は誰でも親の潜在意識に反応していることを思い出してください。あなたがいつも子供にガミガミ言っているような状態であれば、まず自分の「ガラクタ」を先に解決した方が良いでしょう。

ティーンエイジャーと「ガラクタ」

体の中でホルモンが活発に活動し始める青春時代には、部屋をきれいに保っておくなんてことは人生の最優先事項でないことをわかってあげなければなりません。子供の頃からすでに「ガラクタ」を溜めこまない習慣がついているのでない限り、そんなことにはとても構っていられない、大きなお世話だと思うでしょう。ティーンエイジャーの溜めこむ「ガラクタ」は、通常の場合精神的な混乱が外側に現れているのです。

ある時MTVの電話相談に出演し、若い人たちから風水の実践の仕方についての質問に答えました。彼らがもっとも方法を知りたい三つの質問は、テストに合格すること、友人を作ること、そして親からほっておいてもらうことでした！　ほとんどのティーンエイジャーはもっと精神的にも肉体的にもプライバシーが欲しいと望んでいます。

子供が親のプライバシーを尊重しなければならないのと同じように、親もこの願いを尊重しなければなりません。

けれどもティーンエイジャーたちの「ガラクタ」と混乱を決まった部屋にだけ収めて、定期的に片付けをしなければならないことを約束させるのは、無理なことではありません。

友人、親戚の「ガラクタ」

時には自分の「ガラクタ」はそれほどなくても、友人、近所の人、親戚などのものを管理するはめに陥った人もいます。「ニュージーランドに行っている間に、このソファを預かっていてくれる?」と頼まれ、二年たったのにその友人はまだ帰ってくる気配もなく、ソファには根っこが生え始めてきました!

あなたの空間を預かりものでいっぱいにする前に、よく考えてください。そして同意をするのなら、せめてタイムリミットを決めておきましょう。「わかったわ。○○ヶ月だったら預かりましょう。でもそれが過ぎたら、薪《たきぎ》にするわよ」というように。その処分をどうするのかを最初から明確にしておけば、予定が変わってもそれが原因で友情が壊《こわ》れることはないでしょう。

オーストラリア人の友達が、最近私にこんな話をしてくれました。彼女は海外に住んでいる間に所持品を貸し倉庫に保管していました。そこに入れるために七百ドルかけたのに、それを最後に売り払って手にしたお金は六十ドルでした。同様に人々があなたに預かって欲しいと頼むもののほとんどは、入っている箱ほどの値打ちもありません。ですから預かるのを断るのに、良心の呵責《かしゃく》を感じる必要はないのです。

第十五章　「ガラクタ」と風水の象徴学

「ガラクタ」を片付けるもっとも良い方法は、ものをやたらとっておくのは、あなたにとって良くないということを理解することです。あなたの家の「ガラクタ」が与える影響の象徴学は、二通りあります。一つ目は、ものとあなたが個人的に持っているつながり、もう一つは物体そのものがかもし出す波動です。

ネガティブなつながり

あなたの家に、良くない思い出を思い起こさせる品があるとすれば、それがたとえ新品であろうとも、家のエネルギーを滞らせ、あなたの精神を曇らせています。

私が昔付き合っていた恋人は、腹を立てると見境なくものを蹴る人で、ある日私のポータブル・テープデッキが犠牲となりました。二人の関係は長く続きませんでしたが、私はテープデッキをその後も持っていました。使うたびに上にある凹みを見てはその時のことを思い出しましたが、使用上支障はなかったのでそのまま使い続けていたのです。こうして一年が過ぎ、ある日私は再びそれを目にして事件を思い出すと、もう二度とこのことを思い出したくないと決心しました。このデッキは、私が男性の振る舞いに失望する気持ちの象徴になっていたのです。

私はすぐに新しいテープデッキを買いに出かけ、古い方は必要としていた友達にあげました。彼女はとても喜んでいました。彼女にはなぜ上の部分のプラスチックがちょっと欠けているのかわかりませんでしたが、キズモノのテープデッキでも全然ないよりもずっとマシだったからです。でも私にとってはそれを目にするたびに、当時の思い出がエネルギーレベルを低下させていたので手放して本当にすっきりしました。

古くなった関係

時にはそのものとの関係はネガティブでなくても、単に古くなっている場合もあります。例えば新しい恋愛を求めている人に相談を受けた場合、本人の家をチェックすると必ずまだ未練のある過去のパートナー関連のものが見つかるのです。当人が意識をしている、していないにかかわらず、エネルギーは常に過去を振り返っているわけですから、新しい縁がなかなかやってこないのは当たり前のことなのです。

おたくの家具のうち五十％が思い出したくない過去のことを思い起こさせるなら、あなたのエネルギーの五十％は未来にではなく過去に向けられています。そのままにしておいたら、進歩はかなり鈍いペースになるでしょう。同じように家の中が過去に気まずいことのあった親戚や友人のことを思い出させる家具でいっぱいだとしたら、この関係はやはりあなたのエネルギーを奪っています。

新しい関係が始まる時は、お互いにとって新しい場所に引っ越さなければならないという理由もここにあります。古い関係を引きずった場所には、古いネガティブなエネルギーが澱《よど》んでいるのです。

徹底的なスペース・クリアリング（本書の付記、「基礎的なスペース・クリアリング21のステップ」を読んでください）を行えば澱んでいるエネルギーをはらうことが出来ますが、あなたがそれを目にしたときに感じる感情まではおさえることが出来ません。これに対処する一つの方法は、そのものが連想させていた古い感情を拭い去るまで、ゆっくり時間をかけて新しい、強くてポジティブな感情をそれに植え付けることです。知人の女性は、おばあさんから譲り受けたヴィクトリア調の家具を部屋の他のものに調和するように明るい水色と黄色に塗ってしまったことで、これに成功したのです！　家具を塗り替えながら、彼女は思い浮かべられる限りの楽しい感情を心に湧きあがらせて、以来その家具を目にするたびに思い出すのはその作業のことでした。

もう一つの方法は一気に全て処分して、新しいものに買い換えること。私はすでに二回、これを実行しました。どちらの時もとても勇気がいりましたが、同時に言葉に言い表せないほど気持ちの良い、生まれ変わるような体験でした。あれはまさに人生の転換期と言えると思います。私の人生にはそれが必要でしたが、ほとんどの人たちはここまで極端に走る必要はありません。もっとも嫌な思い出があるものから順に、状況に応じて時間をかけながら処分をしていけば良いのです。

波動

私は以前から、絵の前に立ってそのエネルギーを感じ取る能力がありました。ある時ジョン・ダイアモンドが書いた『Life Energy and the Emotions』という本に出会い、その中に私がなぜこのようなことが出来るのか、説明してあったのです! 彼はウィンストン・チャーチルが変わった表情をしている写真を例に出していて、それには「ほとんどの人々はこの写真を見ている間、肝機能が弱っているという診断を受けるだろう」とキャプションをつけているのです。もう一人違う人物の写真を出して「ほとんどの人はこの写真を見ている間、心臓機能が弱っている診断を受ける」と書いてあり、その他にも様々な機能についても触れています。彼は私たちの体にあるエネルギーのチャンネルに関連づけて、ネガティブとポジティブな感情のもたらすものを研究したのです。

中国の医学によると、私たちは体の中にエネルギーが流動する十二対の機能を持っています。鍼《はり》治療とはその流れをスムーズにさせることによって、つながっている器官のバランスを取り戻すことだと説明しています。ジョン・ダイアモンド氏の説によると、これらエネルギーのチャンネルの機能と私たちの健康状態は、ポジティブな、あるいはネガティブな感情と密接な関係にあるのです。あなたが不幸に感じると肝機能は低下し、元気になると機能は好転します。心機能は怒りによって低下して、愛と寛容さによって強化されます。脾臓はハラハラすると機能を低下させ、将来の展望に自信を持つと丈夫になるのです。これはとても興味深い研究で、一読の価値がある本だと思います。

中でも私がもっとも興味を引かれたのは、これと風水の関連性でした。これまで行ったカウンセリングで、実に多くの家に、本人が望んでいるのとは全く逆の波動を発する絵、写真、油絵、ポスター、彫刻、装飾などが置いてあるのを見てきたのです。ある女性は居間のもっとも中心となる、キッチンへ続くドアの横に巨大な自画像を飾っていました。それは陰気な色彩の、暗いポートレイトだったのです。日に何百回とそれを目にしていた彼女はそのたびに、私がそれを見てすぐに感じた陰鬱な気持ちになっていたことがわかりました。彼女はこの絵に多額のお金をかけていましたので、処分をするのは嫌がりました。

そこで私は、せめて何ヶ月か絵をはずして暮らしてみてくださいとアドバイスしたのです。彼女は信じられないほど気分が良くなったことに驚いて、それから二度と絵をかけませんでした。

本書のカバーに載っている私の写真には、見た人のエネルギーが高まるようにしてあります。もともとそれを意識して製作した写真で、世界中のあらゆる文化、宗教、社会環境で生きている読者からそれを確認する手紙をもらいました。彼らは一様に「写真を目にしただけで、あなたの主張していることを知りたいと思いました」と言ってくれています。このような風水の象徴学は、世界共通なのでしょう。

あなたの家を象徴的に改造する

さてあなたの家の中を歩き回って持ち物をひとつひとつ見ながら「これは何を象徴しているかしら？　私のエネルギーにどのように影響しているの？　私が望んでいる効果を与えてくれているのか、それとももっと良い方法がある？」と自問してみましょう。まずあなたのエネルギーレベルを引き下げているものを処分することから始めましょう。例えば下に向ってぶらさがっている大きな物体（植木鉢、装飾品など）。これはあなたが天井の低い家に住んでいるとしたら、特に大事なことです。そうでなくてもあなたのエネルギーは圧迫されていますので。

次に以下のことをチェックしてみてください。あなたはものを個別に整頓していますか？　それともペアで、あるいはグループにしていますか？　あなたの装飾品が単独で並んでいるのなら、あなたの人生は孤独な体験をしがちになります。パートナーを求めている人は、ものをペアで並べてエネルギーアップをはかりましょう。幸せな結婚生活を送っている人たちは、それが自然なことに思えて何でも二つずつ買うのです（試しに、あなたのまわりの人たちに聞いてみてください！）。あなたが孤独に慣れている人ならば、最初はこれが奇妙に感じるでしょう。でもそれが自然なことに感じられるまで続けことにより、あなたのエネルギーフィールドは、望んでいたようなものに変わっていくのです。

あなたの家を象徴学的に分析するもう一つの方法は、風水定位盤を使うことです。家の各部分、そして各部屋のそれぞれの部分にはあなたの人生を願う方向に導くための象徴学が存在しているのです。

ある顧客は、いつも上司と言い争いをしてばかりいると言っていましたが、彼女の家の職業をつかさどる部分には、戦いの場面を描いた巨大な油絵が飾ってあったのです。もう一人の女性は、彼女の寝室の財政をつかさどる位置が空白になっていることに気がつくと、手に入る限りもっとも豪華なブーケを買ってきてそこに飾りました。それから少しして彼女の夫が帰宅をすると、二人の二十年間の結婚生活で初めて、突如として彼女に一五〇〇ドル、好きに使うようにとお小遣いを渡したのです！

家の中の全てをチェックして、「これは何を象徴しているの？　私はどんな気持ちになるだろう？」と自分に問いかけてください。次の章の、「ガラクタ」を始末する具体的な方法は、あなたの持ちものを整理するのにとても役に立つことと思います。

第二部

「ガラクタ」の処分の仕方

第十六章　あなたの「ガラクタ」の処分の仕方

さてこれまでに様々な人が試してきた、「ガラクタ」の処理法をいくつかあげましょう。

＊自然のままに任せる方法（別名、決断放棄型）。自然に腐っていくような場所に保存して、嫌でも捨てざるを得なくする方法。バリ島にバケーションで遊びに来ていたある男性は私にこう言いました。「いらないものをかなり処分して、残りは小屋に入れてきました。戻ってきた頃にはつゆにあたって捨てなきゃならないような状態になっていると良いのですけど」

＊死ぬまで待って親戚に片付けてもらう方法。何世紀ものあいだ、人々がもっとも活用していたのはこの方法です。さらにひとつひとつをどう処分して欲しいか、遺書に詳しく残すことすらできるのです！

＊責任を持って自分で片付ける方法。私がお薦めするのはこの方法です。前の二つよりもずっと健全で、良いカルマを残し、「ガラクタ」やあなた自身が期限切れになるのを待つことなく、人生を整理整頓することができるのです！

始めるための準備

一番難しいのは、疑いもなくあなたが腰をあげることです。いったん始めさえすれば、どんどんエネルギーが湧いてきますから、自然に続けていくことができるようになります。溜まっていたエネルギーが、良い方向へ使われるようにどんどんリリースされていくのです。そして片付ければ片付けるほど、どれほど気持ちよいものかすぐに感じることができますので、続ける価値があることが実感できるでしょう。

やる気を出すために私が使う秘訣は、明日引っ越すと仮定をすれば嫌でも大きな袋に二、三個分捨てるものが出てくるのだから、今その整理をやってしまおうと自分に言い聞かせること。これをやり続けて来たのは、その方が日々の暮らしがうまく進展していくからです。私にとって努力をして練習していかなければならないことではなく、これが道理になっているので他のやり方をしようと思わないだけでした。いつもやっきになって片付けているという訳ではありません。日々快適に過ごせるように、定期的にこれに時間を使う習慣をつけただけのことなのです。

ではこれから「大掛かりな『ガラクタ』クリアリング」の、秘訣をいくつかお教えしましょう!

早く済ますか、ゆっくりやるか

どのような「ガラクタ」が、どのくらいあるのか、そしてどのくらい片付ける気があるのか、人によって実に様々です。でも片付けるにあたって、誰もが二つのうちのどちらか一つを選びます。最初のタイプはこの本を読んで他の約束を全部キャンセルし、夢中になって竜巻のように家中を片付けてしまう人。もう一つのタイプは、段階を踏んでゆっくりやる人です。

あなたに時間がたっぷり必要ならば、自分はそういうタイプなのだと割り切りましょう。あなたは忙し過ぎるのか、ストレスがたまっているのか、あるいは単に「ガラクタ」の量が多すぎて圧倒されているのかもしれません。あせらずに自分のペースで、その時々にできる範囲で行なってください。でも、次のことを忘れてはいけません。

あなたが忙し過ぎるのなら——「ガラクタ」を溜める時間はあったのですから、それを片付ける時間だって見つけられるはずです!

ストレスがたまっているのなら——「ガラクタ」をきれいにすることは、心配、ストレス、心労に対する最高のセラピーです。

圧倒されているのなら——私のアドバイスに従ってやれば、難しいことはありません。あなたよりもずっと多くの「ガラクタ」を溜めこんでいる人々が、大勢このやり方で成功しているのです。

クリアリングの最高のタイミングとは

いつ始めても、かまいません。クリアリングは大概家の中でやるものですから、昼でも夜でも、一年のどの季節でも、雨でも晴れの日でも構いません。でもあなたが本書を読んでいるのが春だったら、とても良い始め方だと言えるでしょう。自然が息吹き始めるこの時期は、本能的に大掃除をしたくなるものなのです。あなたの住んでいる土地が、年に乾季か雨季の二つしかない地域だったら、どちらかの季節の始まりに行なうのが良いと思います。

もう一つの良いタイミングは、休暇の旅行から帰ってきた時です。心機一転してきたあなたには、何をとっておいて何がいらないのか判断しやすくなっているでしょう。また引っ越しの時、病気が快癒した時、新しい職場に入社した時、新しい恋人ができた時など、あなたの新しい人生を踏み出すきっかけになる時期も同様です。でもこれらのどれかが起きるまで待つというのを、実行しない言い訳にしてはいけません。もう一度繰り返します。

いつ始めても、かまわないのです

人によって、一日のうち片付けを始めやすい時間帯というものがあります。私の場合は、朝起きてすぐです。あなたの判断力がもっとも活発な時を見つけて、行ないましょう。

人生をきちんと管理したいと願っているのなら、一年に一回は定期的に持ち物を見直すことをお薦めします。そして習慣付けていけば良いのです。最初に大々的に行なって、あとはこまめに調整をしていきましょう。

「ガラクタ」退治に役立つスペース・クリアリング

この本は、あなたが「ガラクタ」退治をする気を起こさせるように書かれています。でもあなたがもっと風水について深く学びたいと思っているのなら、スペース・クリアリングが「ガラクタ」退治にとても役立つことを知っておいて損はないでしょう。最初に「ガラクタ」を片付けてしまえば理想的ですが、それには道が遠いというのならスペース・クリアリング21のステップのうち第6ステップをはぶいて、エネルギーの流れを取り戻すために他の儀式を続けて行なってください。あとであなたが「ガラクタ」を全てきれいに処分してから、スペースを浄化させるためにスペース・クリアリングの儀式を繰り返せば良いのです。

想いや感情を換える

この本はあなたに「どうしなければならない」、「こうしなければならない」と指図をするものではありません。ただ「ガラクタ」を溜めこむことによる結果を伝えて、あなたが判断をする手助けをするだけです。

「しなければならない」は、もっとも力を萎《な》えさせる言葉です。この言葉を使うと、あなたは罪悪感や、重圧感を感じるでしょう。私からのアドバイスは、この言葉を使うのを永遠にやめて、代わりに「できる」に置き換えてみることです。

「私は今日『ガラクタ』退治をしなければならない」と「私は今日『ガラクタ』退治をすることができる」の違いを、感じてみてください。「できる」はあなたに選択を与え、後にうまくいったら自分を褒《ほ》めてあげることができます。「しなければならない」はあなたを憂鬱な気分にさせ、咎《とが》められているような気分になり、達成してもあまり嬉しくありません。

もうひとつ言うなら、「できない」を「やらない」に置き換えてみてください。これができれば大きな進歩です。違いを感じてみてください。「これをとっておくのか、捨てるのか、決めることができない」と「これをとっておくのか、捨てるのか、決めない」。「できない」の場合、あなたは夢も希望もありません。「やらない」の場合は、あなたの意思でそう決めたのです。そこで初めて、それが何故なのか自分に問いかけることができ、自分でも気がついていなかった潜在意識の部分に入っていくことができます。「これをとっておくのか、捨てるのか決めないのは、これが母親／父親／配偶者に対する感情を湧きあがらせるからだ」というように。もちろんまだやるべき仕事は残っています。でも少なくとも、あなたは自分に正直になったのです。

リストを作る

始めに、ノートとペンを片手に家のなかを歩き回り、各部屋のどこに「ガラクタ」が溜まっているのかチェックをしてください。あなたが家にいないのなら（あるいは単に怠け者なら！）目を閉じて部屋から部屋へ歩き回っているところを想像してください。どこにいらないものが溜まっているのか、わかるはずです。

次に紙に、比較的軽症な「ガラクタ」ゾーンから重症の場所の順にリストを書き写します。軽症の場所の例としては、ドアの後ろ、引き出しひとつひとつ、バスルームの戸棚、小さい棚、ハンドバッグの中身、ブリーフケース、道具箱など。中くらいの場所では洋服ダンス、台所の棚、シーツ類を入れておく戸棚、机、ファイル・キャビネット等など。重症の場所は物置部屋、倉庫、屋根裏、庭の道具小屋、車庫など、やっつけるのに明らかに時間のかかる場所です。

さて、あなたがもっともイラつく原因となる場所を選び出しましょう。その中で軽症から重症の順番に始めていくのです。最初に小さな場所を片付けることができれば、大掛かりな場所に取り掛かる元気が出るでしょう。そしてもっとも気になっていた場所をクリアリングすることがどれほど気分の良いものか実感できれば、これまで放置しておいてどうにかなってくれないかと願っていた場所にも、手をつける気になるでしょう。

やる気を起こさせる

もう一つ自分にやる気を起こさせる方法は、家のどの部分の「ガラクタ」によってあなたの人生のどの部分が滞ってきたのかを、風水定位盤（第八章参照）を使って調べてみることです。ほとんどの人たちは、これがとても正確な結果を出していることに驚きます。それぞれの分野であなたが将来どのようになることを望んでいるのか、考えてみてください。このことを頭においておくと、片付けが終わるまで自分を奮い立たせておくことができるでしょう。

最後の準備

ここに到達する頃には、あなたはどれほどの「ガラクタ」をクリアリングしなければならないのか、かなりのところまで理解をしているでしょう。すでに粗大ゴミの引き取りの手配をしたなら話は別ですが、そうでなければダンボール箱、あるいは大きなゴミ袋をいくつか用意しましょう。これらはあなたの援軍の役割を果たします。

お助け箱を使うのなら、あなたに必要な四つの分配は以下の通りです。

＊ ゴミ箱行きの箱

本当に捨ててしまって良いものは、この中に入れます。

＊ 修理用の箱

修理、改造などが必要なものはここです。直したら本当に使うものだけを入れて、修理する締め切りを自分に課してください。

＊ リサイクル用の箱

リサイクルするもの、売るもの、人にあげるものなど。誰か他の人が使えるように、社会に戻してあげるのです。

＊ 移動用の箱

家の中を移動する必要があるもの（他の部屋へ、あるいはまだ片付けていない場所へ）。

あなたが初心者ならば、おそらく第五の箱も必要になってくるはずです。

＊ ジレンマ箱

どう処分するか、まだ決められないもの。

仕事が進んでいくにつれ、リサイクル箱を細かく分類する必要が出てくるかもしれません。例えば――

＊プレゼント用箱
友人や親戚にあげようと決心したもの。

＊チャリティ箱
チャリティ、図書館、学校、病院などに寄付をするもの。

＊預かりものの箱
人から預かっているもの、借りもの、返却するもの。

＊売る箱
売れるもの、あるいは何かと交換できるもの。

そして最後に、リサイクルのために分類する（紙類、ビン類など）箱が必要になってくるでしょう。

大規模な「ガラクタ」クリアリングを始めよう

小さなところから始める

最初に、小規模なところから手をつけましょう。引き出し、あるいは小さな戸棚などが理想的です。やっつけ終わったら、リストに横線を引いて満足感を感じてください。ほとんどの人たちは一箇所が終わるととても気分が良くなり、次に取り掛かります。小さな場所がひとつひとつきれいになっていくにつれ、あなたの中に次に立ち向かうエネルギーが放出されるのです。自分のペースで、一度にできる分量からやっていきましょう。これが数時間で終わるか、数日、数週間、あるいは数ヶ月かかるかは、あなたの「ガラクタ」がどのくらいの量で、どこまで徹底してやるのかにかかっています。あなたの人生の明るい変化は、あなたの「ガラクタ」クリアリングの速度と内容に比例することを、忘れてはいけません!

大掛かりな場所

小規模な場所から始め、中クラスの場所をやっつけて、次に大掛かりな場所に手をつけます。でも大きな場所でも細かく区分して、取り扱いの出来る規模にしておきましょう。戸棚の中、部屋の中をいくつか分けるのです。家の中を全てこのように取り扱って、実行しながら自信をつけていくのです。

ものを分別する

ものを分別する時、後でどうするか決めるものの巨大な山を作ってはいけません！　ひとつひとつを取り上げて、その場でどうするのか決めてください。とっておくのか、処分するのか。もし処分をするのなら、ゴミ箱、あるいは適切なリサイクル箱に入れてください。とっておくけれども修理が必要ならば、修理箱に入れましょう。残すものは全て、どこに置いておくのかを決めてそこに持っていく、あるいは移動用の箱に入れておいてください。

もっとも置き場所への往復中に気が散ることもあるので、とりあえず移動用の箱に入れておくのが安全でしょう。

毎回「ガラクタ」のクリアリングが終わりに近づいたら、この移動用の箱を持って家の中を歩き回り、自分で満足する場所にその品を置きましょう。もし置きたい場所がまだクリアリングの終わっていないスポットで、混雑しているのなら移動用箱の中に入れたままにしておいてください。理想的ではありませんが、その時点ではベストでしょう。

この作業全体を、楽しむようにしてください。あなたの家の中にあるものは全て、そこにあるべき理由を証明しなければなりません。〝これは「ガラクタ」審査に受かるかしら？〟と自問してみましょう。

「ガラクタ」審査

1 これを見たり思い出したりしたら、私は元気になるかしら？
2 私は心から、これが好き？
3 本当に、使っている？

この三つの質問にイエスと答えられないのなら、その品はあなたの家で何をしているのでしょう？

1 これを見たり思い出したりしたら、私は元気になるかしら？　あなたがその品からエネルギーを受けるか受けないかは、この「ガラクタ」審査のもっとも大切な部分です。頭はその品をとっておくための色々な言い訳を考え出しますが、体は嘘をつきません。あなたの体の声を、信頼してください。

2 私は心から、これが好き？　もし好きなら、それは単に「好き」なのか、それとも「すごく好き」なのでしょうか？　この手のものは、もうたくさんありますか？　好きでも、悲しい思い出につながっていたりはしませんか？

3 本当に、使っている？　もしそうならば、最後に使ったのはいつですか？　現実的に言って、次はいつそれを使いたいですか？

処分するのが無難

ものを整理しながら自分に「処分した方が無難」と言い聞かせてください。「ガラクタ」のクリアリングとは、ものを可能な限り処分して、将来必要な時に必要なものが手に入るという運命を信頼することなのです。あなたが「万が一の場合」に取っておくものは、あなたの恐怖心に他なりません。

「ガラクタ」の量がものすごく多い人なら、きれいに処分をするまで何度か同じプロセスを繰り返さなければならないかもしれません。時には、それが必要ではないと認めるのに、丸一年かかることだってあるでしょう！

間違った選択などない

他の技術と同じように、「ガラクタ」クリアリングも徐々に学んでいくものです。あなたはクリアリングの「コツ」を身につける必要がある、と考えれば良いかもしれません。最初は初心者でも、やっていくにつれて腕も上がっていくのです。

あとで後悔するものを捨ててしまうことの恐れから、クリアリングを延期する人は大勢います。でもあなたが何度か試してみるうちに、「間違った選択」など、絶対にないことに気がつくはずです。たとえあなたがあとで捨てたことを後悔したとしても、それを処分する選択をしたのはあなたの内側にいる「Higher Self／大いなる自己」ですから、時間がたつにつれてそれが手元を離れなければならなかった理由のあったことを、理解することができるでしょう。

これは「ガラクタ」だけではなく、人生の全てに当てはまると思います。あなたの選択は、全て正しい選択なのです。本当に大切なのは、選択ではなくてあなたがそう決めた理由です。恐れから発した選択は、エネルギーを奪ってしまうのです。

ジレンマ箱

こうして明確な選択をするコツを学びながらも、ジレンマ箱を使わなければならないかもしれません。どう考えてもいらないものなのに、どうしてもまだ処分をする気になれないものは、このジレンマ箱に入れて戸棚の奥深くしまい込みましょう。そしてカレンダーに、次はいつこの箱をチェックするか書き入れます（一ヶ月後、半年後など、あなたにとって適当な期間）。そして開ける前に、中に何が入っていたのか思い出して見ましょう。あなたが覚えていなかったとすると、それはもう必要がないものだということは明らかです。あなたの人生は、これがなくても全く問題なく進展していきました。自分の中で、覚えているものだけ保存して、残りは処分をしようと決めても良いと思います。これがあまりにも過激すぎると感じたら、とにかく箱を開けて一つ一つ中身を吟味して考えましょう。それまでの期間、あなたは全くその品々を必要とすることなく生きていたことを思い出しながら。

ある女性は、捨ててしまったら後悔するだろうと思ったものをゴミ袋三つにまとめ、三日間それを枕もとにおいて寝ました。本当にそれに執着があるのなら、夜中に欲しくなって袋を開けるだろうと思ったのです。けれども彼女は毎晩袋を省《かえり》みることなく熟睡し、四日目の朝にはそれを捨てて、全く後悔することはありませんでした。

整理整頓の秘訣

あなたの「ガラクタ」が本当に混乱状態で、選別に手間ひまのかかるものだったら、家の中をすっきりさせておく良い秘訣を教えましょう。

部屋の一方の隅から始めます。整理しなければならないものを、とにかく片っ端から拾い上げていってください。それがTシャツだったとしましょう。自分のやっていることを声に出して、お経を読むように唱えてみてください。「私はTシャツを拾った。タンスに近寄って、ドアを開けた。ハンガーにかけた」。それから同じ隅に戻ります。「私はペンを拾って、机に戻す。本を拾って、本棚に戻す」というように続けます。

出来るだけ文節に同じようなリズムをつけてください。リズムを取ることによって、この単調な作業を楽しくするのです。同時に話しつづけていることで頭の中をいっぱいにしておくと、普段のように迷ったりする余裕がなくなります。リズムにのって、どんどん進めていくのです。片隅から始めたら、部屋の中全体がきれいになるまで続けましょう。

「ガラクタ」を家から出す

全てを選別し終わったのに、自分の家からそれを物理的に外に出す、という最後の段階を省《はぶ》いてはいけません。これは「ガラクタ」のクリアリングの中の、とても大切なステップです！

ゴミとリサイクル

捨てると決心したもの、専業者がリサイクルできるものはもっとも処分が簡単です。それぞれの収集日をきちんと確かめて捨てに行きましょう。家の中から出したら、とてもすっきりした気分になるはずです。

プレゼントする

友人、親戚にあげる、あるいはチャリティ団体、公共団体などに寄付をするのは、捨てるよりも少々時間がかかります。時には相手に会う時まで、あるいはチャリティ団体や学校、図書館、病院などの近くに行く機会があるまで待たなければなりません。あなたがこの選択をしたのなら、リサイクル箱を空にする締め切りを設けましょう。

そして期限が過ぎてもその中に入っているものを、あっさり捨てるのです。誤解をしてはいけません。私は可能な限りものをリサイクルして、あなたの「ガラクタ」を再利用できる人がいるのなら、そこに届けてあげたいと思っています。でも自分の経験からいうと、多くの場合そのものは家に居座り続けるのです。あなたがこのクリアリングのプロセスに慣れるまでは、人にプレゼントすることは考えない方が良いかもしれません。とにかくできるだけ早く、それを処分するのです。

預かりもの

これも、時には時間がかかります。持ち主に連絡をとって、彼らにそれを持ち帰ってもらうよう依頼、時には嘆願しなければなりません。妥当だと思われる期限を定めて、それが過ぎたらあなたが好きなように処分することを相手にはっきりと知らせましょう。時にはあなたが郵便で送ったり、自分で届けたりする決意をするかもしれません。

売る

これは、もっと時間がかかります。自分でガラクタ市を開《ひら》ける人や、まとめて引き取ってくれるあてがある人以外、クリアリングの初心者にはあまりお薦めできません。

交換する

あなたが物々交換を専門とする機関に連絡をするか、たまたま偶然あなたのいらないものが欲しくて、相手もあなたの欲しいものを持っている相手を知っているのでない限り、これはさらに困難な選択です。これにも締め切りを決めて、それまでに交換したい相手が見つからなかったら、売る、あげる、捨てるなどの処理をしましょう。

修理、改造、改良など

これは今まであげた全ての中でもっとも時間がかかり、またリスクも大きなことです。一年後、あるいは十年後にまだ、それが修理、改造、改良されていない可能性は大だからです。いつの日か使えるものにしようと決意したものを延々ととっておくのは、とてもくたびれるものです。目を覚ましてください！

自分に良いことを、してあげよう

私がこの本を書いた理由の全ては、「ガラクタ」クリアリングをとても魅力的なものにして、あなたがものを捨てることを躊躇《ためら》わなくなることでした。「ガラクタ」を処分することは、自分に良いことをしてあげている、という意識を持ってください！　しばらくしてこの効力を実感できると、あなたはもっと続けたくなるでしょう。ある女性は、「ものへの執着を捨てて処分することが、ものを手に入れることに負けないくらいの喜びを与えてくれるなんて、考えてもみませんでした」と私に言ってくれました。

完璧を目指す必要などないことを、忘れないでください。ただあなたの生活を滞らせている「ガラクタ」をきれいにして、人生を整理すれば良いのです。

第十七章　「ガラクタ」を溜めない生活

　ある男性が私にこんなEメールを送ってくれました。「いつも不要なものを片付けています。以前にもまして、『ガラクタ』が目につくようになった自分がおかしいです。何かを捜して引き出しを開けると、いらないものが目につきます。そこで、やりかけのことを中断して片付け始めるのです。きれいになるたびに、気分は良くなっていきます」。

　それから数週間して、彼のメールがまた届きました。「スキー旅行から帰ってきて、バッグ四個分の荷物を抱えてきました。このゴチャゴチャを見ているのが嫌だったので、今朝仕事に出かける前に全て中身を開けて片付けました」。

　この男性は「ガラクタ」クリアリングを、自分の人生の一部として取り入れることに成功をしたのです！　いらないものを溜めない生活をする決意は、あなたの生活習慣を変えるのです。

すべてのものが、収まるべきところに

国内の四つの都市をいつも移動している、裕福なアラビア人一家の話を聞いたことがあ

ります。おとうさんが仕事のために出張をして、家族がそれに同行しているのです。いつも移動しているのに疲れた彼は、財力を駆使して四つの都市に全く同じ造りの大邸宅を建てて、そっくり同じ家具を置きました。それだけではなく、家族の誰かが服を買う時には必ず同じものを四着購入し、それぞれの家の同じタンスの同じ位置にかけたのでした。ですから彼らがどこの町にいようと、タンスを開けると中身は同じなのでした。

私自身もいくつかの場所を移動しながら暮らしているので、この話にとても興味を引かれました。整頓された家とは、整頓された思考ということです。あなたの状況がどのようなものであれ、日々の生活が滞りなくいくように、身のまわりを整頓しておくのは大切なことです。

整理整頓をする

世界でもっとも面白いものは、近視の人が自分のメガネを捜しているところかもしれません！　あなたがテーブルの上の「ガラクタ」を整理したらメガネはもっと簡単に見つかるようになりますが、しまう場所をきちんと決めていつもそこに戻しておくことが、もっともあなたにとって楽なのです。鍵、財布、スリッパなど、いつも捜しているものについてはどれも同じことです。

あなたの暮らしをシンプルにする、秘訣をいくつかお教えしましょう。

＊ 同じような種類のものは、同じ場所に分類する
＊ 使う場所の近くに保存する（たとえば、花瓶は花をいける場所の近くにしまうなど）
＊ しょっちゅう使うものは、取りやすい場所にしまう
＊ ものが行方不明に、あるいは「ガラクタ」になったりしないよう、本来しまうべき場所に簡単に戻せるようにしておく
＊ 箱には何が入っているか書いておく
＊ タンスの服は、色別で分けておく（その方が、見た目が魅力的です）

ファイリング・キャビネットを買って利用する

私たちは情報時代に生きています。家のこと、仕事のことに関らず、誰でも保存しなければならない書類を抱えて暮らしています。これにもっとも役立つのは、ファイリング・キャビネットを買うことです。最近のキャビネットは、デザインも良くなってきました。きちんとファイルに分類して保管した書類は、その辺に積み重ねておくよりもずっと楽に整理できます。カテゴリー別に分けましょう。もしどのカテゴリーに入れて良いのかわからないけれど、保管しておきたい書類があったら、未処理の山の中にいれっぱなしにしておいてはいけません。それにふさわしい新たなファイルを作って、そこに入れてください。

太りすぎて疑わしいファイルは、細かい分類をしなおすか、あるいは中身を点検して古くなったものを処分する作業が必要です。逆に、ちっとも増えないファイルは必要ないか、もう少し大きな分類をする必要があります。少なくとも年に一度、ファイルを点検して不要になった書類を捨てましょう。

保管する場所

保管場所のそもそもの目的は、使用していないものを一時的にしまっておくためです。これの良い例が、一年に一度しか使わないクリスマスの装飾でしょう。冬物の服は夏にはしまっておくし、冬はその逆です。また二年に一度くらいしか使わない、キャンプ用品のようなものもあります。私が言いたいのは、絶対に使わないものを、きちんと整頓しないで積み上げておいてはいけないということです。それが、エネルギーを滞らせる元になるのです。

中には納税の記録やその関連の書類など、法的に一定期間保管しておかなければならないものもあります。あなたの住んでいる国の、保存義務期間を確かめましょう。それが七年間ならば、税金関連の書類を年別にファイルして、八年前のファイルをゴミ箱に捨てることが出来ます。この作戦はうまく使えると多くの人が言っています！

溜まる前に、「ガラクタ」を阻止する

習慣を改めることにより、「ガラクタ」クリアリングをかなり楽なものにすることが出来ます。

* 何かを買う前に、よく考える。どこにしまうのか、どのように使うのか、買う決意をする前によく考えてみること。はっきりした回答が出なかったら、あなたは「ガラクタ」を増やそうとしているのです。買うのをぐっとこらえましょう。
* ゴミ箱は出来れば毎日、一日の終わりか朝一番に空にしましょう。そして何かを投げこみたくなったらすぐ出来るように、身の回りにゴミ箱をたくさん置いておくこと！
* あなたの心の中で「とりあえず」という言葉を使うのをやめましょう。その言葉を使うたびに、何かを「とりあえず」そこに置いて、後で戻ってきて整理することになるのです。最初から、ちゃんと元の保管場所にしまう癖をつけてください。
* ついものを溜め込みがちの人は、「何かを買ったら、何かを捨てる」というルールを自分で作ってください。このやり方で「ガラクタ」は減りはしませんが、少なくとも内容はどんどん変わっていくでしょう！

第十八章　体をきれいにする

家をきれいにすると、自然に体もきれいにしたくなります。家に「ガラクタ」を溜めこむ人は、体の中にも溜め込みがちなもの。物質的な「ガラクタ」は、あなたの人生の発展を妨げますが、体の中の不純物はもっと深刻な、時には命に関るような結果をもたらします。

人間の体はとても洗練された機械のようなものです。ものを取り込み、必要なものを吸収し、五つの主な器官、腸、腎臓、肌、肺、そしてリンパ腺を通じてそれを排出します。

これにさらにいくつかの補佐的な器官、目、耳、臍《へそ》、爪、髪、そして女性の場合は膣がそれに加わります。これらの器官は全て、体の中から害のある物質を排出しているのです。

腸をきれいにしなければならない理由

西洋人のほとんどは、腸を定期的にきれいにしなければならないことすら知りません。体調や健康は自然の成り行きだと思っていますが、実は「健康」であることがどのような感覚なのかすら、よくわからなくなっているのです。何年も人口加工された調理品、冷凍食品、缶詰、電子処理された保存食を口にしているあいだに、そうなってしまったのです。信憑性《しんぴょうせい》のある調査によると、近頃の遺体は防腐処理をする必要がほとんどなくなってきているそうです。私たちは普段あまりにも多くの防腐剤を体内に入れているため、遺体が腐敗するまでかなりの時間がかかるようになったというのです！

人体の腹の中には、六メートルあまりの小腸、そして一・五メートルほどの大腸が詰まっています。大腸は大体直径六センチほど、いえ、本来ならそうなのです。

次のページのイラストは、健康な腸と、最も不健康といわれてきた西洋風の食事を続けてきた人の典型的な腸を表わしています。この本を読んでいる人のほとんどが、このように変形して宿便の溜まった腸を持っているでしょう。西洋風の食事をする人のほとんどが、このような状態になってしまうのです。ことにあなたのウエストに贅肉《ぜいにく》がついて、下腹が出ているようなら、そう考えて間違いありません。

腸の中の粘液状の蓄積物は、粘液状のものを食べることから付着したり、あるいは毒物から身を守るために腸自らが出したりすることによって付着します。この粘液物は、膵臓《すいぞう》からの分泌液できれいになりますが、現代の西洋式の食事には粘液の蓄積を促す食べ物があまりにも多く、膵臓機能が追いつかないのです。腸全体に何層にも溜まった付着物は、詰まって固まってきます。現代の育児方法では、これが乳児の頃から始まっているのです！

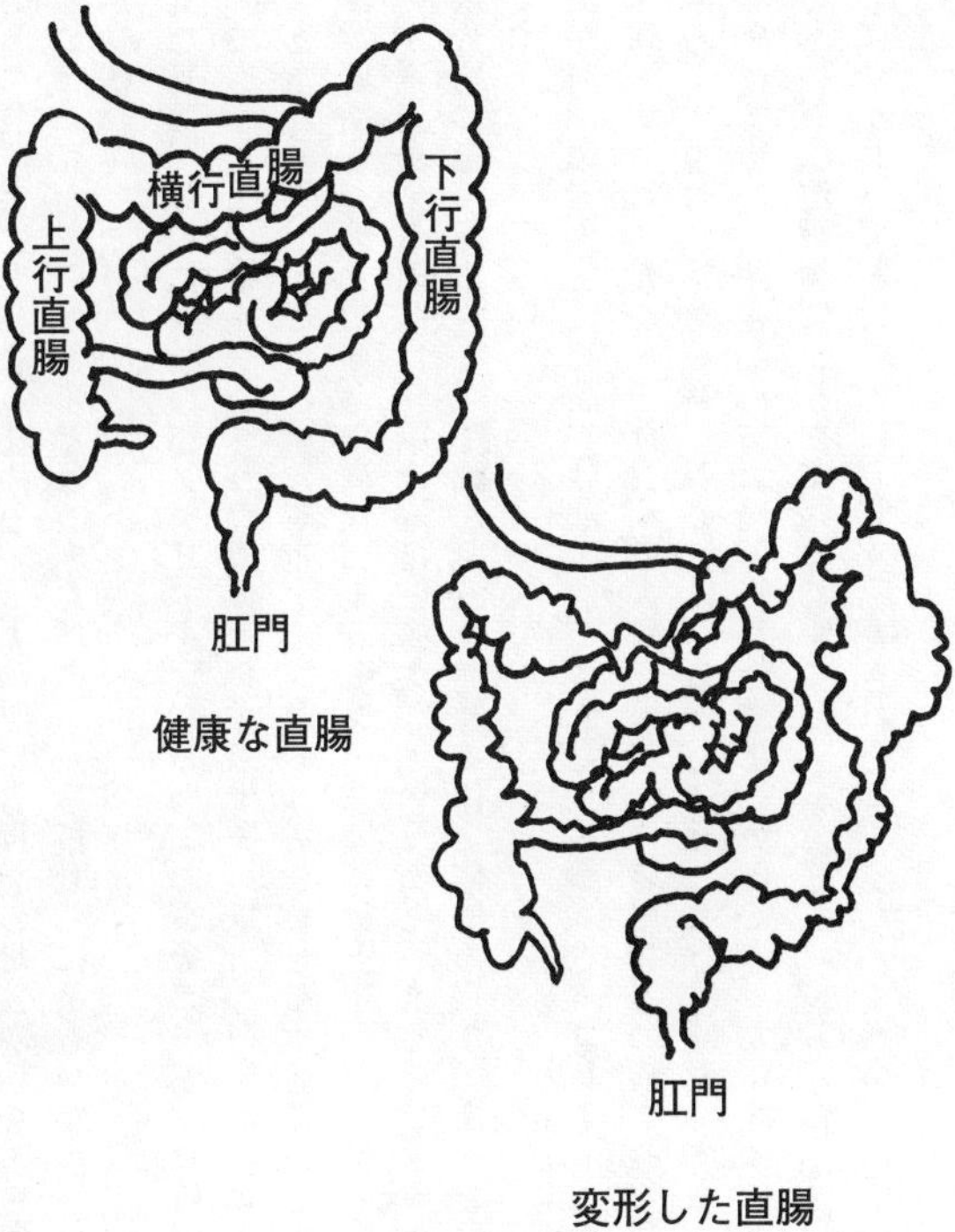

健康な直腸と不健康な直腸

ＮＡＳＡの科学者たちによりますと、大人の腸にも母親の母乳からなる付着物が発見されたとのこと。私たちのほとんどは、赤ん坊の頃から積もりに積もった宿便を腸の中に抱えているのです。

健康的な腸は、体内に有益なバクテリアを含んでいておよそ二・五キロほどの重さがあります。でもこれまで検死解剖された遺体から、二十キロ以上も宿便が溜まった腸が発見されたこともあります。これは単に衛生上の問題ではありません。通常六センチほどの腸の直径が、肥満した人々の場合は直径二十五センチ、時には五十センチにも広がり、その中でものが通過出来る隙間は鉛筆一本ほどの太さということもあるのです。このような腸には半永久的に毒が溜まって、これが血液を通して体全体にめぐり、様々な病気を引き起こすのです。

あなたが肉、鶏、魚、乳製品、砂糖、加工された食品類、チョコレート、カフェイン、ジュース類、アルコールなどを飲食する人なら、あなたの腸にもこのような宿便が溜まっていますので、腸のクレンジングが必要になるでしょう。菜食主義者ですら、時々行なわなければなりません。大豆と穀類が、宿便の元になるからです（大豆は、全ての植物の中でもっとも粘液状沈殿物になりやすいのです）。古くから続いてきた文化には、肉食中心、菜食中心にかかわらずどこの国にも時々腸をきれいにするための漢方を用いる習慣がありました。

あなたの家が人生の様々な分野と直接つながりがあるように、腸はあなたの体全体とつながっているのです。漢方学者たちは腸のクレンジングで病気の九十％は快癒すると主張していますが、私自身、これが病気の予防と治療の両方に大変役立つことを実感してきました。体内の下水システムである腸をきれいにするだけではなく、同時にこのプロセス途中でこれまで何年も溜まっていた精神的な問題が表面化し、流れ出ていくのです。本当にヒーリングに効果があるのは、この精神的な部分なのです。

食生活とエクササイズ

食べることと運動をすることは、人間のもっとも自然な活動ですが、西洋人のほとんどは自分の体を管理することをすっかり放棄してしまいました。特に彼らは、自分たちの排泄物に関してとても否定的です。バリ島の赤ちゃんは、西洋社会の赤ちゃんよりもずっと早くトイレ・トレーニングを習得します。これはおそらく、おしめをあてずに生活をするために、どのように対処すれば良いのか早期に身につけるのではないかと思うのです。

上品な社会では「話すものではない」このことを何年も研究してきた結果、私はこの世でもっともくだらない発明の一つは西洋式の便器ではないかと思っています。東洋の多くの国で使われている、おしゃがみ式の便器を使用すると腸が自然に開いて、西洋式のただ座っている便器よりも排泄がスムーズになされるのです。西洋社会の方が東洋よりも腸の病気が多いのは、これが原因ではないかと思います。あなたが西洋式のトイレを使っているのなら、座った時に両手を頭上に持ち上げることにより、しゃがんだ時と同じような効果を得ることが出来ます。

ちょっとこの話題には、ついていけないと感じているかもしれません。このような話題を避けたい人たちがいることも理解できます。でも私は、腸のクレンジングは病気予防にとても重要なことだと考えます。あなたの腸がきれいなら、体調も良く、人生も滞りなく進みます。腸が詰まっていると、あなたの全てに影響を与えるでしょう。それでも納得出来ない人には、腸の健康について長年研究してきたリチャード・アンダーソン博士の著書の一節をご紹介しましょう。

「ロックフェラー研究所研究員でノーベル賞を受賞したアレクシス・カレル博士は、組織細胞に栄養を与え、排泄物を取り除くことによって長期的に培養させておくことに成功した。

細胞は、排泄物が取り除かれている限り活発に成長をした。不衛生な状態になると、活動が低下し、腐敗して、やがて死亡した。彼は鶏の心臓を体外に取り出し、助手が排泄物を取り除き忘れるまで二十九年間培養することに成功した。」

便秘と下痢

一般的なルールは、「食べたら、前回のものを出す」です。ですからあなたが食後三十分以内に排便をもよおさなかったら、あなたは便秘気味ということ。また長期的な下痢も、同じくらい問題です。おそらくあなたの腸は、悪いバクテリア（寄生虫もいるかもしれません。彼らは非衛生的な環境と腐敗物が大好きです）でいっぱいになり、過敏になっているのです。

また次のような症状も、腸に問題があることを示しています。お腹がゴロゴロ鳴る、腹が痛む、悪臭のする放屁、栄養のあるものを食べても力が出ない（栄養吸収率が悪い）、口臭、体臭、足の悪臭。そして常に疲労感がつきまとうなど。

それでもよくわからない場合は、ひまわりの種のテストを試してみましょう。手に軽く一盛《ひとも》りのひまわりの種を口に入れ、出来るだけ小さく噛み砕いて呑み込んでください。そうして、出てくるのを待ちましょう！

腸から出てきた時間がおよそ十時間後なら、あなたは健康体です。それよりも長かった場合は、宿便を取り除くための腸のクレンジングを行なった方が良いでしょう。中にはひまわりの種が出てくるまでに、三日も四日もかかる人もいます！　手紙をくれたある女性は、十二時間後にひまわりの種が出てきて夫とともに安心をしたものの、その後三日間出続けたと教えてくれました。ですから、あなたも気をつけて見ていてください！

理想的な排便とは

さて、次にあげたのは他の本ではちょっと見つからない情報です。あなたが腸のクレンジングを行なった後で見られる、理想的な排便とは次のようなものです。

＊音もなく短時間に楽に出る
＊ひとつの塊になっていて、水面に浮かぶ（粘液は便を沈ませます）
＊明るめの茶色
＊あまり悪臭がしない
＊スムーズで筒型、あまり密度が高くない
＊流すと、簡単に形が崩れる

私が常々トイレに読み物が置いてあるのは、便秘の証拠だと主張している所以《ゆえん》です。あなたがそこにいる間にものを読む暇があるのなら、あなたの腸は不健康ということです！

きれいな腸の利点

これまで汚れた腸の弊害について語ってきましたので、今度はきれいにした時の利点についてお話しましょう。ほとんど人たちは一度やるとその結果に満足して、これを年に一度定期的に行なうようになるのです。腸がきれいになると――

* 身体も気持ちも、健康になる（肌のトーンがきれいになり、しわが減り、爪が丈夫に、髪に艶が出てくるなど）
* 体が軽くなり、エネルギーが湧いてくる
* 免疫力が強まる
* 食べ物からの栄養吸収率が良くなり、不健康な食べ物に対する欲求が減る
* 生きていることが楽しくなり、愛、喜び、幸福感に満ち溢れる
* 物事に対して、柔軟性が生まれる
* 古いものに別れを告げ、新しいものを素直に歓迎出来るようになる
* セックスをより一層楽しめる（疲労した腸からの圧迫感がなくなるため）

ルイス・ヘイは彼女の著書『Heal Your Body／体を癒す』の中で、便秘は「不要になった古いものを捨てる恐れ」が関係していると主張し、「古いものを手放し、新しいものを喜んで受け入れる」気持ちを持つことを薦めています。これを実行するにはまず、次に便意を感じたらできるだけ我慢をしようとはせずに、可能な限りすぐにトイレに行って下さ

い。そうすることによって、まず肉体的に楽に早く排出することを習慣づけます。何かに執着をしてどうにもならなくなるまで溜めておくことは、精神的に人生全般において悪影響を与えるのです。

漢方による腸のクレンジング

食生活改善（不健康なものを排除しながら、片側からどんどん体内に入れていくことは、全く意味がありません！）と同時に行なう、漢方による腸のクレンジングは驚くほどの結果をもたらします。砂糖、粘液状になりやすい食品など、不健康なものを食べていたあなたの一年のうち、一ヶ月をこれに費やしてください。

絶対に、下剤を使ってはいけません。薬は腸を過敏にし、動きを弱めてしまいます。絶食は体内をきれいにするためには役に立ちますが、このような根本的なクレンジングと腸機能を整える漢方の代りにはなりません。

専門の漢方医学者に相談するのは、ベストなやり方です。この作業は時には専門家の助けが必要な、精神面での問題を掘り起こすこともありますし、あなたの体が古いゴムのタイヤのようなものを排泄し始めたら、相談する相手がいた方が良いでしょう！　ある男性は「出てくるものを見たら恐怖心が湧きました。でも体外に出てしまったということで、すごく満足感を感じました」と言っていました。

あなたが妊娠中、授乳中、年配者、持病持ち、虚弱体質ならば、必ず専門家のアドバイスを受けてください。

寄生虫の排除

寄生虫は、発展途上国でしか見つからないというのは、現代社会にありがちの大きな勘違いです。実際には西洋社会でもよく見つかり、寄生虫を体から出すプロセスに腸のクレンジングは欠かすことが出来ません。体の調子が良くない時に、実は原因が寄生虫だったというのは驚くほどよくあることなのです。

断食

西洋社会を何ヶ月も旅しながら講義を続けていると、レストランでの外食、ホテルでの宿泊、飛行機に乗ることなどは避けられません。その後、バリ島に戻ってジュース断食を行うのは本当に気持ちの良いものです。有機栽培をした果物や野菜から作った純粋なジュースと、きれいな水だけを使った断食ほど、私のエネルギーを再生させてくれるものはありません。

理屈はこうです。あなたが食べ物を食べると、体はそれを消化するためにたくさんエネルギーを使います。ジュースだけの断食を行うと内臓が休暇をとることが出来るため、その余分なエネルギーは体を修復したり、再生したりすることに使われます。病人が何かを無理に食べようとすることほど馬鹿げたことはないと、私は信じています。動物はこのことをよくわかっていて、弱っている時は決して何も口にしません。

何か健康上の緊急事態がない限り、ジュース断食を始める前に腸のクレンジングを行なうのがベストなやり方です。断食を行なった人々が報告してくる不快な体験のほとんどは、腸が突然動きをやめたことで、溜まっていた宿便から毒が排出されるために起きるのです。

もっとも究極的な断食は、きれいな水だけを使った断食です。これも、緊急の場合以外は、初日から急に水だけでやらない方が良いでしょう。ジュースから始めて徐々に濃度を薄め、最後には純粋な水だけを飲むようにしていくのです。

断食を行う前に、ちゃんと専門家に相談をし、その関連の書物にきちんと目を通すことは大切です。どのくらいの期間、何を摂取しながら、そして終える時はどのようにやっていくのかを知らなければなりません。断食を突然に終えたり、不適当な食べ物を突然体に取り込んだりすることは、時には危険な結果を招きます。

けれども正しい方法で行えば、断食はあなたが想像も出来ないほど気持ちの良い体験になるでしょう。体の内臓には休息を与え、あなたの体を食べ物で満たさないことがどのような気分か、体験するのはとても特別なことです。あなたは人生に、新たな情熱とヴァイタリティを発見できるに違いありません！

腎臓

私たちの体重の七十％は水分ですが、多くの人々は日にコップ一、二杯分の水しか摂取しようとしません。全ての細胞は水を含んでいて、血液は九十％、骨ですら二十二％が水分なのです。体を健康に保つため、酸素や栄養を細胞に届け、毒素を排出するために水分が必要なのです。

ですから、水をたくさん飲んでください。水はもっとも健康に良いものです。水は体をきれいにし、頭脳を明晰にしてくれます。理想的には、毎日二リットルの水を飲んでください。水に加えて、新鮮な果物や野菜もお薦めします。でもお茶やコーヒー、砂糖の入ったジュース類、アルコールなどは腎臓、肝臓、脾臓や腸などに負担を与えますので、避けなければなりません。これらのものはその大部分が水ですが、脱水症状を引き起こす強い成分が含まれているのです！

充分に水分をとっているかどうかは、神様が与えてくれたシンプルなメカニズム、「のどの渇き」でわかります。これを無視してはいけません。尿の色をチェックする方法もあります。濃い黄色の尿ならば、あなたは腎臓に負担を与えています。薄い、ほとんど色がついていない尿ならば、あなたは充分に水分を摂取しているということです。

また水分を取るにも、コツというものがあるのです。食事をする三十分前に水分を取り、食べた後は水を飲む前に一時間半から二時間、時間をおくのです。そうしないと胃液が薄められることになり、消化不良を起こします。胃の内容物が腐敗して、酸化現象を起こし、体の機能全体に影響を及ぼすのです。食べ物をよく噛んで食べれば、水で流し込む必要はありません。

腸のクレンジングが快適な結果をもたらしたら、次は年に一回、水分の濾過《ろか》をする大切な臓器である腎臓も漢方でクレンジングすると良いでしょう。

肺

肺が機能を最大限に生かして体内の毒を排除するためには、呼吸を深くすることが大切です。西洋人は一般的に呼吸が浅く、体を維持する最小限の空気しか吸い込んでいません。これは自分に対する自信のなさの現われでもあります。「私にはこれが分相応」「私はそんなに大した人間ではない」ということです。こう考えている人は、自然に猫背になり、心臓部を庇《かば》うような姿勢になって呼吸がますます浅くなるのです。

背骨をまっすぐにしましょう。心をしっかり持ってください。人生を満喫するのは、この世に生まれてきたあなたの権利です。呼吸をするたびに、あなたは人生、愛、喜び、この世の豊穣さに、「イエス」と応えているのです。発展途上国の現地人、あるいは生まれたばかりの赤ん坊を観察して、呼吸とは胸だけでするものではなく、お腹の底から行なって内臓全体に行き渡らせるものだということを学んでください。吸気は必ず鼻から行ない、口で行なってはいけません。毎朝目を覚ましたら、両手を広げて深く深呼吸をし、肺の中に溜まった不純物を追い出してください。また食事をした後も、食べたものに酸素を送り込むことを忘れてはいけません。

これ以外に肺機能を助けるために気をつけるべきことは、毎日一定の距離を歩くこと、粘液状の食べ物を避けること、空気汚染を避ける、そしてまだやめていないのなら喫煙をやめることです。タバコをやめることが出来なければ、喫煙がもたらした肺の写真を掲載している本を捜しましょう。これはかなりショッキングなものです!

リンパ腺

リンパ腺機能は、体中の細胞をきれいにします。血液は心臓の動きによって体中をめぐりますが、リンパ液は肺と筋肉に頼るしかありませんので、定期的な運動をすることがどれほど大切なのかわかります。歩く、泳ぐなどの軽い運動、そしてトランポリンなどはリンパ液を循環させる最高のエクササイズです。さまざまな種類のマッサージも役に立ちますし、乾布摩擦も良いのです(次のセクションの肌のところを見てください)。

ひとつ気をつけなければならないのは、リンパ液の循環を妨げる体を締め付けるような衣類を避けること。

91年から93年にかけて四七〇〇と、「平均的アメリカ人の女性は、ブラジャーをつけている時間が十二時間以下の女性たちより乳がんの発生率が十九倍」であることがわかっています。女性がブラジャーをつける習慣がごく最近になって始まった国では、それまで乳がんという病気がほとんど知られていなかったのです。

特にワイアー入りのブラジャー、プッシュアップ式のものなどは、リンパ液の循環をさらに妨げます。これは私個人の考えですが、この針金はアンテナの役割を果たして、コンピューターなどが発する有害な電磁波をデリケートな胸の細胞に伝導させ、乳がんのような症状を引き起こすのです。コンピューターや電動ミシンなど、長時間使う機材が胸の周辺に来る女性たちは特に注意をして、ワイアー入りのブラジャーは避けた方が良いでしょう。

肌

肌は、驚くべき機能です。二・五センチ四方に千九百万個の細胞、六百個の汗分泌穴、九十個の脂肪分泌穴、六十五本の体毛、一万九千個の末端神経細胞、五・七メートル分の毛細血管と、何百万個ものバクテリアが住んでいるのです。

本来の機能では、肌は人体の廃棄物の三分の一を排出します。でも現実には、ほとんどの人の肌の機能は、衰えています。人工的なスキンケア商品は毛穴を詰まらせますし、下着にナイロン、ポリエステルなどの化繊を身につけることにより、自然のプロセスを妨げるのです。天然の繊維を身につける方が体に良く、特に綿はベストです。麻、絹、ウールも結構。洗うときは、強い合成洗剤は避けてください。毛穴を通じて、体内に残留物が入り込んでくるのです。

肌の機能を高めるために、定期的にエクササイズをしてサウナやスチームバスに入って毒素を汗で出し、毎日乾布摩擦をして古くなった細胞を落としてください。

リンパ腺を刺激することによって早く老化することを防ぐのです。これは朝、シャワーを浴びる前にするのが効果的です。

必ず心臓に向かってマッサージし、天然の素材を使った体用のブラシを使ってください。ナチュラル系の健康用品店に売っています。

これは、とても気持ちが良いものです！

第十九章 心をきれいにする

あなたの家に「ガラクタ」があるのなら、心の中にも「ガラクタ」が溜まっています。もっとも一般的な、心の「ガラクタ」をきれいにするには、以下のような秘訣があります。

心配するのをやめる

心配とは、揺り木馬のようなものだと聞いたことがあります。どれほど早く動かしても、どこにもたどり着くことは出来ないという意味です。心配することは時間の無駄遣いで、心に「ガラクタ」を溜め込み、何も明晰な頭で考えることができなくするのです。

心配することをやめるためにまず、あなたが心の中で考えることは、その対象にエネルギーを与えることであると理解してください。ですからあなたが心配をすればするほど、その心配が現実のものになるのです！

心配することが習慣になっているのなら、あなたの意思でそれを変えていかなければなりません。自分が心配していることに気がついたら、そのことを考えるのをやめて、他のことに気持ちを向けてください。まわりの人にも、あなたが心配しているのに気がついたらそのことを指摘してくれるように頼んでおきましょう。気持ちを、「こうなったらどうしよう」ではなく、「こうなったら嬉しい」ということに向けるようにするのです。今の生活で満足していることに心を向けると、さらに素晴らしいことを呼び込むのです。

あなたが心配していることのリストを作って、次に自分が揺り木馬に乗っていたらすぐに気がつくようにしてください。

批判したり、決めつけたりしない

これはエネルギーの無駄遣いです。あなたが他人のことを批判したり決めつけたりすることは、全てあなたが好きではない自分の要素を反映しているのです。もっとも強力な否定は、心の奥で自分は大した人間ではないと信じ込むことです。自分を否定する考えをやめると、他人のあら捜しをする自分も魔法のように消えてしまうことに気がつくでしょう。

もうひとつ大切なことは、人間は膨大な宇宙で起きていることのほんの一部分しか理解出来ていないことを認識することです。ですから私たちは、何人に対しても決めつけるべきではないのです。泥酔しているホームレスの人は、実はこの世でもっとも優しい、親切な魂を持った人間かもしれません。でもあなたが外観だけで彼を判断してモラルで彼の行動を批判すると、彼の本来の資質を全く理解出来なくなるでしょう。

このような毒矢で、自分の心に「ガラクタ」を盛ってはいけません。その代わりに心の中でそっと、出会う人全てに祝福を送ってあげてください。彼らがそれに反応して、もっとも美しい姿を見せてくれることに、あなたはきっと驚くことでしょう。

ゴシップをやめる

ゴシップに興じて自分の心に「ガラクタ」を溜め込んでいる人は、自分の人生に実りがありません。自分を生かし、他人も生かしてください。ゴシップやスキャンダルにはいっさい興味を示さずにあなたの高尚さを見せましょう。本人の目の前で言えないことは、口にしないようにするのです。

嘆いたり、愚痴ったりしない

嘆くこと、愚痴を言うこと、あなたの人生で起きたことを自分以外の何かのせいにすることは、言葉にも想念にも「ガラクタ」が溜まり、他の人たちがそばに寄りつかなくなってきます。あなたがどれほど恵まれているかということに焦点を当てれば、神がもっと恵みを与えてくれるでしょう。嘆いたり、愚痴を言ったりしていると、あなたは加護が得られなくなります。

心の中で会話をしないこと

心理学者によると、平均的な人間は一日に六万個の思考を頭の中にめぐらせるそうです。残念なことに、この思考の九十五%はあなたが昨日考えたことと同じことです。そしてその前日に考えたこととも同じです。要するに、あなたの頭の中にめぐっている思考のほとんどは、生産性がないおしゃべりで、何の役にも立ちません。

もうひとつの問題は、西洋式のライフスタイルにありがちの、外から入り続けて来る意味のない刺激です。テレビやラジオを単に「寂しいから」かけっぱなしにしておいて、中身のない小説を読んだり、意味なくネットサーフィングをしたりという人たちは大勢います。

そしてある日突然年老いて病気になった自分がいて、これまで人生を無為に過ごしてきたことに気がつくのです。思想は全て他人の借り物で、自分が何のために生まれてきたのか、自分が何者なのか、全くわからないままなのです。

あなたが全く独自の面白いアイディアを出したのは、いつのことでしたか?

悲しいことに、大多数の人々が日常の雑念にとらわれて日々を無駄に過ごしています。人生を明瞭に見つめることをあなたの優先事項にする訓練をしてください。どのような形でも構いませんので、瞑想をする時間と場所を作ってください。行かなければならない場所、やらなければならないことを忘れ、心の中の無意味なおしゃべりを止めるのです。そして高尚な叡智を感応できるように自分をオープンにしてみましょう。

先延ばしにしない

何をやるにも、その場できちんと始末をつけましょう。たとえば、友達が、あなたに役に立ちそうな電話番号を知っていると告げます。彼女は手帳をその場に持ってきてはいるのですが、明日改めて電話で番号を知らせると言っています。今日出来ることを明日に延ばそうという人がどれほど多いことか、驚いてしまいます。物事を先延ばしにして、明日再び思い出すのがどれほどエネルギーの無駄遣いであることか。電話番号は、その場でもらってください。そうすればあなたの人生でやらなければならないことが、一つ減ったわけです！

借金、人から借りたもの、やると約束して実行していないことなどは全て、あなたの意識の底で「早く片付けなさい」と小言を言い続けています。果たしていない約束は、実行を呼びかけてあなたのエネルギーを要求して来るのです。あなたが守れない約束をしてしまったのなら、相手に電話をかけて実行できないことを告げた方が、そのままうやむやにしてしまうよりずっとましです。

私が「しなければ」を辞書の中から取り除いた時に経験した、面白い話をご紹介しましょう。木曜日の夜に友達と会って、前から見たかった映画を見に行く約束をしました。でも木曜日が近づくにつれて、出かける気分になれなくなってきました。こんな場合、出来ることは二つあります。ひとつ目は行くと約束したのだから、無理にでも出かけること。そしてもうひとつは友達に電話をして約束をキャンセル、あるいは延期すること。私がキャンセルをした場合の九十%は、相手も同じように感じていたけれどこちらをがっかりさせたくなかったという状況で、お互いにとってパーフェクトな結果となりました。残りの十%の相手はちょっと腹を立てますが、彼女が自分に正直な人ならば、腹を立てたのはほとんどの場合私のせいではないと気がつくでしょう。原因は相手の柔軟性のなさのためか、私が断ったことが彼女らの過去のトラウマを思い出させる引き金となったというようなことが多いのです。

コミュニケーションをクリアにする

気まずいまま連絡が途絶えた相手はいますか？　ちょっと考えてみてください。色んな人と会っている自分を想像しましょう。相手が部屋の中に入ってきたら、気まずい感情が体に充満する人物はいますか？

二人の間には緊張感が漂っているため、部屋が急に狭く感じるような相手はいますか？　あなたは彼らのことを頭の中から追い出して、意識的に思い出さないかもしれませんが、潜在意識はちゃんと覚えているのです。コミュニケーションを中断して放置した相手がいることは、あなたのエネルギーレベルを下げるのです。

一緒に寝ている相手なら、特にコミュニケーションを常にクリアにして問題を解決しておきましょう。そうでなければあなたは相手と超意識のレベルで一晩中喧嘩をし続けて、朝起きた時疲労しきっていることでしょう。

手紙はそのつどきちんと書く

書こう書こうと思いながら、まだ書いていない手紙はありますか？　実行せずに考えてばかりいると、あなたのエネルギーレベルは低下します。長く放置しておけばおくほど、手紙を書くのは面倒になっていくでしょう。きちんと座ってその手紙を書いてしまえば、あなたは他のことに使える膨大なエネルギーを解放することになるのです。もっと良いのは、Ｅメールで連絡を取り合う習慣をつけること。早くて簡単ですから、すぐに返事を書くことが出来るでしょう。

やりたいことを、優先させる

やりたいことを全部やる時間が、いつも足りなくてこまっていますか？　あなたが本当にやっていて楽しいと思うことを、まず予定表に記入しましょう。義務だけで、日々の生活に追われてしまってはいけません。楽しみを持つことは、あなたの魂に栄養を与えることです。毎日が仕事ばかり、あるいは他人の面倒を見てばかりいて自分の時間を持つことが出来なくなると、あなたの魂はしぼんで、死んでしまいます。これはまず脱力感、健康の後退という形になって現れてくることでしょう。

ですから予定表にはまず「あなた」を優先させて、それから他のことを入れていきましょう。何年か前、私は忙しいスケジュールの中から週に一日は自分のために使うと決めました。今ではその時間が、年に半分くらいになっています。バリ島で過ごす時間をまず決めて、その他のことをそれ以外の時間にスケジュールしていくのです。

安眠のために、気持ちをきれいにする

あなたが忙しい日々を送っていて、「やること」が山ほどあれば、気持ちを切り替えてリラックスすることは難しいかもしれません。特に眠りにつこうとする時、あなたの気持ちはまだ活動中かもしれません。そんな場合の安眠のために、いくつかコツをお知らせします。

枕もとにノートとペンを用意して、寝る前に明日やらなければならないことを書きつけます。書き終わったら安心して、それらを忘れて眠るのです。夜中に何か書き忘れたことを思い出したら、片方の目だけを開けてノートに書き、また眠りに戻ります。慣れるまで

は、豆電球をつけておかなければならないかもしれませんが、そのうち暗闇の中で目をつぶってでも書くことが出来るようになります。

あなたが忙しくなればなるほど、夜の間にリラックスして元気を回復しておくことが重要になってきます。これをマスターしてしまえば、眠っている時間をもっと有効に使うことも出来るようになります。心配事を反芻《はんすう》する代わりに、眠っている間に「Higher Self／大いなる自己」にメッセージを乞うのです。あなたの心が悩みや心配事でいっぱいになっていなければ、高い次元からのメッセージが聞こえてくるはずです。そうなればあなたは夜ぐっすりと快適に眠られるだけではなく、朝目が覚めたら問題の解決方法まで手に入れているのです！

常に自分を現在形にしておく

人生の全てを現在形にしていれば、あなたは今を生きており、この世のエネルギーを肌で感じることが出来るでしょう。過去からのやり残しがないように、努力をしてください。そうすればあなたは今まで想像したこともないほどのエネルギーを得ることが出来るのです。子供たちが、そうです。彼らは常に現在形で生きているので、あれほどのエネルギーに満ちているのです！

第二十章　感情をきれいにする

世の中のほとんどの人は、何らかの感情の荷物を引きずっています。この荷物は私たちを老け込《ふ》ませ（私が集中的にそれをクリアリングした後、十歳若く見えるようになりました）、やりたいこと全ての妨げになるのです。

怒り

「ガラクタ」をクリアリングするのに最高のタイミングは、何かに腹を立てている時です。始める前に、自分を落ち着かせようなどと考える必要はありません。悔し涙を流し、もし必要なら罵詈雑言《ばりぞうごん》をわめきながら、戸棚を開けてください。そして中のものを全部だし、いるものといらないものを選り分け始めるのです。この状態の自分にとって、いらないものを処分するのがどれほど簡単か、きっとびっくりすることでしょう。まるでひとりでに選り分けられていくかのようです。あなたがこれまで後生大事にしてきたものが、すでに必要のない古ぼけたものに思え、何の執着心も湧かずに迷うことなくゴミ箱に捨てることが出来るのです。またいらないものを整理しているうちに、心が落ち着いて何がそこまであなたを怒らせたのか理解出来るようになってくるでしょう。「ガラクタ」を処分することによって、感情に鬱積していたものも解放することが出来るのです。

怒りとは、全て予《あらかじ》め準備されていたことです。というのは、私たちが怒りを感じる理由は、全て「higher self／大いなる自己」が私たちに注意を促し、その部分を変えさせようとしているから起きるのです。

私がかつてしばらく学んだ教師は、腹が立ちそうになった場合は「これは十年後にも大切なことだろうか？」と自分に問うことを教えてくれました。未来の自分の視点になって現在の状況を見てみると、答えはほぼ必ず「ＮＯ」になるのです。

ほとんどの「ガラクタ」についても、同じことが言えるでしょう。「十年以内に、これが必要になるだろうか？」と考えて見ると、これまで溜め込んできたもののほとんどについての答えが「ＮＯ」になるでしょう。

不平不満

感情の中に積もった「ガラクタ」の中で、もっとも始末におえないのは不平不満です。自分の心をよく見つめて、何を、誰を赦《ゆる》さなければならないのか考えてください。

「Anatomy of the Spirit／魂の構造」や、「Why People Don't Heal and How They Can／なぜ人々は治ろうとしないのか」などの著者であるキャロライン・マイスによると、人が病気になるのは、他人や状況に不当に扱われた無念さを忘れようとしないことが原因であるそうです。

誰でも日に何度も思い出す悔しい体験があるでしょう。人によっては、そのことを思い出していることすら意識しないかもしれません。今こそ、赦して忘れる決意をしてください。

不平不満の積もった人々は、互いに話をしなくなることすらあります。家族や夫婦の間で、もう何日も、何週間も、何ヶ月も、何年も、そして何十年もろくに言葉を交わしていない人たちに会ったことがあります。このような感情を抱えたまま墓場に行ってしまった人たちは、おそらくそれが原因で亡くなったのに違いありません。

時には鬱積した感情が、家族全体、集団、国家などに広がり、社会の感情にガン細胞を作り上げます。彼らは武力で状況を変えようと試み、リーダーが捕まるか、強力な第三者の介入によって和解させられるまで、解決しないのです。外交術とは、滞った感情のエネルギーを調和する手段と言っても良いかもしれません。

あなたが怒るとむっつりと黙り込むタイプだったら、沈黙はあなたの望み通り相手を傷つけているものの、実際にはあなた自身をもっと傷つけていることを理解してください。

人間関係を向上させる講義を受けて、もっと問題をうまく解決できる方法を学びましょう。

赦して、忘れるのです。不平不満の感情を脱ぎ捨てて、あなたの人生を進めてください。

不要な友人関係を整理する

話をするのに努力が必要で、話した後ぐったりと疲労感を感じる知り合いはいますか？　電話がかかってくると、思わず舌打ちしたくなる相手はいますか？　私が言っているのは、今たまたま大変な時期を迎えているとか、この一週間つらい状況にいた親友のことではありません！　いつもネガティブで、明らかにあなたにとって「賞味期限」が過ぎたのに、相手と縁を切る勇気も、時間も、機会もなかったという相手のことです。

興味深いことに、ほとんどの人々がこのような不要な「友人」を持っています。ある時、夕食の間ずっと「地獄から来た客」の話を聞かされたことがありました。招待されてもいないのに毎年その家に押しかけてくる女性のことでした。でも不思議なことに、誰も彼女がその家に歓迎されていないことを伝えず、彼女の作るとてつもなく不味《まず》い手料理や、許せない態度をじっと我慢して、その後知り合い全員に彼女についての不平をもらすのでした。

ちょっと数分間座って、あなたがもう友達付き合いをしたくないと思っている人たちをリストしてみてください。その間、この本を少しお休みして。

さて、ここで興味深い質問です。あなたがこのリストを制作し、他の人たちもリストを作ったとしたら、あなたは一体誰のリストに載っているでしょう？　よく考えてみましょう！　私たち皆が正直になって、このような馬鹿げた社交ゲームをやめたらどうでしょうか？

あなたは世界中の何百万人もの中から、付き合う相手を選ぶことが出来るのです。優しい心を持っていて、あなたに元気を分けてくれる人を選んでください。古い、カビの生えた人間関係を整理する勇気を持てば、あなたは新たに素晴らしい人間関係を手に入れて、自分が何を欲していて、何を欲していないか選ぶことができるのです。そのうちあなたのエネルギーを一方的に吸い取ってしまう吸血鬼のような友人、とてもネガティブな人たちとは、あなたのエネルギーのレベルがかみ合わないことがわかるでしょう。相手もあなたから無料でエネルギーを補給することが出来ないとわかれば、近づいてこなくなるのです。

古い人間関係から脱出する

時には人生の「ガラクタ」になったのが、単なる知人ではなく、あなたのパートナーである場合もあります。あなたの人生が相手と違う方向に発展していったのが原因なのか、あるいは最初からふさわしい相手ではなかったのかもしれません。実際には、お互いにとってすでに相手は「ガラクタ」になっているのですが、時には片方だけがそれに気がつく場合もあります。

あなたには、二つの選択があります。ひとつ目は、そのままにしておいて関係が自然に崩壊するまで待つこと。もう一つは、関係を修復するなり、あるいは別れるなりの行動を起こすことです。

あなたがまだ相手を愛していて、尊敬しており、互いにいたわりあっているのなら、形を変えても二人の関係を修復出来る可能性は高いでしょう。出来る限りのチャンスを与えてみて、もし別れるべき時が来ているのなら、あなたの心の奥底で今が潮時だと感じるはずです。

そのような場合ほとんどのケースが、新しいスタートをきるべき時が来ていることが多く、ダラダラと結論を出すのを先延ばしにするのはあなたにも相手にとっても良くありません。別れは怖いと感じるかもしれませんが、それはあなたにとって必要なことでもあります。体に満ちてくる恐怖心は、エキサイトメントと呼ばれる感情であることに途中で気がつくでしょう。

あなたの魂が、新しく人生に開けた展望にスリルを感じている感情でもあるのです。あなたの、直感に従って行動をしてください。

心の鎧《よろい》を取り除く

あなたの家が「ガラクタ」でいっぱいになっているのなら、あなたは出かける時にアクセサリー類をたくさん身につけ、そうしなければ半分裸で出かけるような気分になる人かもしれません。家に積もったガラクタ類と同じように、このようなアクセサリー類は心の鎧の役割を果たしているのです。家の中をきれいにすると、素のままの「あなた」を光らせたくなり、ごく自然にアクセサリーの量を減らしたくなることでしょう。

第二十一章　魂をきれいにする

実を言えば、これが本書の目的の全てでした。私たちの視野を曇らせ、混乱させ、道を誤らせるものをクリアリングしていくことを目指していたのです。誰にでも生まれてきた理由があり、その目的を達成したいという意思を持って生きています。ところがこの世に誕生すると、その意思を保つのが難しくなり、時には段々忘れていってしまうこともあります。様々な形の「ガラクタ」を整理していくことによって、私たちが元々持って生まれた人生の目的が再び見えてくるようになるのです。自分が何をするべきなのか、明瞭に見えてくるようになります。「ガラクタ」をきれいにしていくことで、私たちは意思を妨げようとする障害を取り除き、「Higher Self／大いなる自己」、そしてそれぞれの神と接することが出来るようになるでしょう。

今は特別な時代

精神世界のリーダーたちのほとんどが、現在は地球の歴史の中でもっとも人類にとって大切な時期だと主張しています。その時代に生まれ合わせた私たちは、幸せ者なのです。

かつては世界中の叡智を学ぶことが出来るのは、ほんのわずかな選ばれた人たちでした。昔は何年もかかって弟子入りして学ばなければならなかったことが、現代社会では週末の講習でその基礎を習ってしまうことが出来ることに、気がついていますか？

ですから、私たちを過去にしばりつけておく不要なものを保管しておくことは、とても非生産的なのです。私たちが今日ここにいるために、何度輪廻《りんね》を繰り返してきたか考えると、あなたの内なる魂にとって現在を生きることがどれほど大切なのか、理解出来ると思います。

あなた自身に戻るための「コーリング」

バリ島には、「コーリング（呼び戻し）」と呼ばれる特殊な儀式があります。彼らによると、人は人生を生きていくうちに、自己の一部を失っていきます。これが過剰に起きたり、あるいは何かトラウマ的な事件で急激に起きたりすると、魂の力が弱って命に関ることもあります。たとえば道で事故に遭《あ》った人は、バリ島のヒンズー教の僧侶と共にその現場に戻り、儀式を行なってその場を清め、自分が失った魂の一部を呼び戻すのです（本人の負傷がひどくて行くことが出来なければ、親類や友人が代わりに行きます）。

あなたが人生の「ガラクタ」を整理すると、同じような「コーリング」効果があります。もう好きではなくなったもの、使わないものを処分すると、それに執着していたあなたの魂の一部が自分のところに戻ってくるのです。このプロセスによって、あなたは現在を生きることが出来るようになります。非生産的なものに分散していたあなたのエネルギーが、一箇所に集まって、大切な物事に集中できるようになるのです。あなたの魂は落ち着いて、心に平和な気分が訪れるでしょう。「ガラクタ」をきれいにするだけで、このような効果が得られるのです。驚きではありませんか？

信じて、とき放すこの本の締めくくりとして、素晴らしい一節をここに書き留めたいと思います。私のこれまでの人生で、驚くほどの効果をあげてきた信念です。

「私が崇高な道を選べば、必要なものは全て与えられる」

あなたが必要なものは与えられると心から信じれば、それは現実になるでしょう。この一節をあなたの細胞の中に染み込ませてください。そうすれば、「ガラクタ」を溜め込む必要は、二度となくなるのです。

付記　基礎的なスペース・クリアリング　21のステップ

始めに

＊それぞれのステップには、この本で説明出来る以上の深遠な意味がありますが、少なくとも私のスペース・クリアリングの説明によって基本的なことは理解していただけると思います。

＊これらのテクニックは、個人用にデザインされています。プロとして安全にスペース・クリアリングを行なうには、何年もかけてさらに深い段階まで学ばなければなりません。

準備

1　あなたがその場所に恐怖心、あるいは懸念を感じていたら、スペース・クリアリングは行なわないでください。この方法は安全ですが、個人が日常的に行なうものとしてデザインをしてあります。除霊、お祓いは熟練したプロに任せてください。

2 他者の場所でスペース・クリアリングを行なう前に、必ず許可をもらってください。

3 スペース・クリアリングを行なうのは、肉体的に快調で、精神的に安定しており、集中力がある時にしてください。

4 妊娠中、生理中、あるいはまだ傷がふさがっていない怪我のある人は、スペース・クリアリングを行なわない方が良いでしょう。

5 時間をかけて、自分の人生にどのようなことが起きて欲しいのか考えてください。誰かと一緒に住んでいるのなら、相手の意見も聞きましょう。

6 もっとも効果をあげるためには、その場所を物理的にもきれいにしましょう。最初に「ガラクタ」を片付けて、掃除機をかけたりモップで拭いたりしてください。

7 事前にお風呂かシャワーに入るか、最低でも顔と手を洗いましょう。

8 食べ物、飲み物は棚の中にしまい込む、あるいは蓋のしまる容器にしまってください。

9 貴金属類など、金目のものを身のまわりからはずしてください。出来れば裸足で行ないましょう。

10 同席している相手が、あなたのやっていることをきちんと理解しているのでない限り、一人で実行してください。

11 音楽をかけずに、静寂の中で実行しましょう。換気扇など、必要のない機械類は止めてください。

12 ドア、あるいは窓を開けてください。

13 エネルギーの良いポイントを定め、スペース・クリアリングに使う道具を設置してください。

14 腕まくりをして、手の感覚を鋭くしましょう。

基本的なスペース・クリアリングの手順

15 空間と波長を合わせるまで、時間をかけましょう。心の中でこれから行なうことを唱え、あなたの意思を放射させて部屋に満たしてください。

16 入り口から始めて、中の空間のエネルギーを感じながらぐるりと回ってください。手、そして他の五感を使ってください。

17 キャンドルに火を灯し、香を焚《た》き、聖水をまいて、花を飾り、その家の守護霊、地、空気、火、水の精霊に祈りを捧げましょう。あなたにとって一番自然な、あなたの守護天使に呼びかけましょう。

18 部屋の四方の角で、鬱積しているエネルギーを放散させるために手を叩きましょう。その後、流れる水で手を洗うことを忘れないようにしてください。

19 ベルの音で、空間を浄化してください。

20 空間にシールドをかけて閉じます。

21 空間をあなたの意思と、光、愛で満たしてください。

訳者あとがき

風水とは、天と大地のエネルギー（気）を実生活の中でうまく活用して幸福に生きていく知恵だと言われています。この学問が発祥した地である中国では、およそ4000年の歳月をかけて風水学が育まれてきたそうです。ですが西洋社会で風水が紹介されたのは、比較的最近のことでした。

私が暮らしているニューヨークで「風水／Feng Shui」という言葉が一般的に知られるようになったのは、1994年以降です。

不動産造成業者の大物、ドナルド・トランプ氏がセントラルパーク沿いに大規模なホテル兼コンドミニアムを建築するにあたり、広東州を中心に活躍していた有名な風水師を招いてアドバイスを求めたことが大きなニュースになったのです。工事が難航していたそのビルは、風水師の指導にしたがってその後スムーズに建築が終了し、現在では「トランプ・インターナショナル・ホテル＆タワー」というマンハッタンのランドマークの一つになりました。

以来ニューヨークのみならず、全米のちょっとした町に行くと風水用のチャイムや室内用ミニ噴水、キャンドルなど、風水グッズが簡単に手に入るようになりました。もともとキリスト教徒が築いたこの国ですが、この事実からもわかるように東洋の古来からの知恵に対して敬意を抱いている人々は多く、風水も短い期間であっと言う間にポピュラーになってきたのです。

本書「Clear Your Clutter with Feng Shui」は、最初に著者の出身国である英国で発行され、今では全世界で80万部の売上をあげてベストセラーとなった本です。著者のカレン・キングストン氏はバリ島で学んだ風水の知識を元にして、スペース・クリアリングという彼女独自の手法を生み出しました。

現在日本でも若い女性の間で人気が高い風水ですが、一般に浸透しているものは室内の家具の配置や色彩を変えたり、幸運を呼ぶグッズを置いたりという、いわば足し算型。ところがキングストン氏の行うスペース・クリアリングとは、いかに無駄なガラクタを排除して部屋の中のエネルギーをうまく循環させるか、という引き算型なのです。

彼女の手法に従えば、幸運を引き入れるために特別な風水グッズを調達してくる必要はありません。必要なのは、ガラクタと、それを片付けようという意欲だけなのです。うちには無駄なものはひとつもない、物置にガラクタなどひとつも入ってはいない、という人はいるでしょうか?

どこの家にも長い間手も触れていないもの、古くなって使わなくなったのにとっておいたものがあるはずです。本当は処分をしたいのに、なんとなく機会を逃してそのままになっているもの。そんなものが溢れた家の中で、人間が小さくなって暮らしているという状況に、心当たりがありませんか？

また、ガラクタが溜るのは家の中だけではありません。体にも心にもガラクタは溜ります。

それらのガラクタを処分することによって、エネルギーが活性化し、幸運が舞い込んでくるというのなら、こんなに楽でお得な開運方はないではありませんか。本書が世界中でベストセラーになったのは、このような理由があるのでしょう。

衣食住の中で、住がもっとも充実していると言われる米国ですが、ニューヨーク、特にマンハッタンの住宅事情は東京など日本の都会とさほど変わりません。限られたスペースをいかに効率よく使い快適に暮らすかは、ニューヨーカーにとっても大きな課題なのです。いまだに市内のどこの書店に行っても、本書が目立つ場所に平積みとなっているのは、そのためなのでしょう。

本書の中で紹介されている風水は、著者独自のアレンジが入っていますので、中国古来の風水学とは若干異なる部分もあります。また原書が英語であることから、本来「気」として知られているものを、原文のニュアンスを重視して「エネルギー」と訳したことなどを記しておきます。

翻訳を進めるにあたり、ついつい途中で作業を中断しては本書のアドバイスにしたがって家の中のガラクタを処分して、ということを繰り返してきました。おかげで私の家の中も以前よりずいぶんとすっきりと、快適な生活スペースになりました。心なしか、近頃では何かとラッキーなことが続き、やりたいと思ったことが大きな障害もなくスムーズにどんどん進んでいくようです。ですがひとつだけ例外がありました。整理をしていた分だけ、本書の翻訳作業が遅れてしまったことです。担当してくださった編集者の阿部剛氏には感謝を捧げると同時に、翻訳が遅くなってご迷惑をかけてしまったことを、ここでお詫びしたいと思います。

田村　明子

SHOGAKUKAN BUNKO

好評新刊

ずっと、ずっと、あなたのそばに 「いま、会いにゆきます」——澪の物語
若月かおり

10月30日に映画公開される『いま、会いにゆきます』を、主人公の恋人・澪の視点で描いたもうひとつの感泣ストーリー。

からいはうまい
椎名 誠

そばにはトウガラシ、ラーメンにはコショウ。辛味を求めて韓国、チベット、遠野、信州を走る辛味食紀行の決定版。

トヨタはいかにして「最強の車」をつくったか
片山 修

「強いトヨタ」には、わけがある！ 世界のトップ量産車「カローラ」の開発に学ぶ、モノづくりの〝黄金律〟！

ファルナースに捧ぐ
大石直紀

青年時代、イランで恋に落ちた二人は、結ばれず引き裂かれた。16年後、運命は二人を再会させ、愛が再び試される。

片桐且元
鈴木輝一郎

裏切り者と呼ばれた秀頼の傅役、且元の晩節を描き、「国家安康・君臣豊楽」史上有名な方広寺鐘銘事件の真相に迫る！

ラピスラズリの紋章
西澤裕子

欲望と陰謀渦巻く戦国時代。渡来人一族の築城技術と門外不出の日本地図を、真田、豊臣ら戦国大名たちが狙う——。

SHOGAKUKAN BUNKO

好評新刊

行列のできる丸山法律塾
丸山和也
人気番組「行列のできる法律相談所」に出演中の丸山弁護士が、さまざまなトラブルに答える超実践的法律解説書。

旅の尻尾　役に立たないムダ知識
横田耕治
どうでもいいのにミョーに気になる、旅や鉄道の「?」を検証してみました。くだらないけど思わず笑えるネタの数々…。

湯浅式「ながらトレーニング」で若返る！
湯浅景元
「仕事」しながら、「家事」しながら、「遊び」ながら。最短「7秒間」でできる、若返り必至の健康トレーニング！

イリュージョン
松岡圭祐
少年は天才的マジックの技を武器にして社会に復讐を誓った。少年犯罪の深層心理を問うヒューマン・サスペンス感動作。

緋色の時代（上）（下）
船戸与一
マフィア化したアフガン帰還兵たちが繰り広げる大抗争。船戸小説史上、最大の流血劇を描く混沌の叙事詩。

［文庫版］メタルカラーの時代8　役者揃いの北九州メタル都市
山根一眞《かずま》
「日本工業の原点」北九州市のマイスターたちが、製鉄所の秘密から半導体部品の金型製作の苦労までを語り尽くす！

本書のプロフィール

「CLEAR YOUR CLUTTER WITH FENG SHUI」（カレン・キングストン著）の本邦初訳である。

シンボルマークは、中国古代・殷代の金石文字です。宝物の代わりであった貝を運ぶ職掌を表わしています。当文庫はこれを、右手に「知識」左手に「勇気」を運ぶ者として図案化しました。

「小学館文庫」の文字づかいについて

- 文字表記については、できる限り原文を尊重しました。
- 口語文については、現代仮名づかいに改めました。
- 文語文については、旧仮名づかいを用いました。
- 常用漢字表外の漢字・音訓も用い、難解な漢字には振り仮名を付けました。
- 極端な当て字、代名詞、副詞、接続詞などのうち、原文を損なうおそれが少ないものは、仮名に改めました。

ガラクタ捨《す》てれば自分《じぶん》が見《み》える——風水整理術入門《ふうすいせいりじゅつにゅうもん》——

著者 カレン・キングストン　訳者 田村明子《たむらあきこ》

二〇〇二年 五月一日 初版第一刷発行
二〇〇五年十二月一日 第十四刷発行

編集人——阿部 剛
発行人——秋山修一郎
発行所——株式会社 小学館
〒一〇一-八〇〇一
東京都千代田区一ツ橋二-三-一
電話 編集〇三-三二三〇-五六三三
販売〇三-五二八一-三五五五
振替 〇〇一八〇-一-二〇〇

印刷所——凸版印刷株式会社

Printed in Japan
ISBN4-09-418031-1

小学館文庫